Englisch lernen mit der

Mein Englisch-Wörterbuch für die Grundschule

Thementexte von Werner Färber
Übersetzung von Sabine Christ

Pädagogische Beratung:
Christina Reuth und Gertraud Fuchs

Der Umwelt zuliebe ist dieses Buch
auf chlorfrei gebleichtem Papier gedruckt.

ISBN 978-3-7855-5127-1
2. Auflage 2007
© 2004 Loewe Verlag GmbH, Bindlach
Umschlagillustration: Julia Ginsbach
Reihenlogo: Angelika Stubner
Printed in Slovenia (013)

www.loewe-verlag.de

Inhalt　　Contents

Alles über mich　　Everything about myself

Meine Familie und ich . . . .　My family and I . . . .　10
Mein Körper . . . .　My body . . . .　14
Kleidung . . . .　Clothes. . . . .　18
Mein Zuhause. . . . .　My home . . . .　22
Meine Spielsachen. . . . .　My toys. . . . .　26
Meine Haustiere . . . .　My pets. . . . .　30
Freizeit . . . .　Leisure time . . . .　34
Essen und trinken . . . .　Eating and drinking . . . .　38
Einkaufen . . . .　Shopping . . . .　42
In der Schule . . . .　At school . . . .　46
Reisen. . . . .　Travelling . . . .　50
In der Stadt. . . . .　In town . . . .　54
Auf dem Bauernhof . . . .　On the farm . . . .　58
Am Meer. . . . .　By the sea . . . .　62
Wilde Tiere . . . .　Wild animals . . . .　66

Das weiß ich schon　　I already know

Uhrzeit. . . . .　Time . . . .　72
Mein Tag. . . . .　My day . . . .　74
Wochentage . . . .　Weekdays . . . .　78
Monate . . . .　Months . . . .　79
Jahreszeiten. . . . .　Seasons . . . .　80
Wir feiern
meinen Geburtstag . . . .　We are celebrating
my birthday . . . .　82
Wir feiern Ostern . . . .　We are celebrating Easter . . .　83
Wir feiern
Weihnachten. . . . .　We are celebrating
Christmas. . . . .　84

Verben . . . . Verbs 85
Gegensätze . . . . Opposites 90
Farben . . . . Colours 92
Das Alphabet . . . . The alphabet 93
Die Zahlen . . . . The numbers 94

Vokabelverzeichnis   Vocabulary

Deutsch-Englisch . . . . German-English 96
Englisch-Deutsch . . . . English-German 109

So liest du   *Reading*
die Lautschrift . . . . *the phonetic alphabet* 122
Quellenverzeichnis . . . . *Sources* 123

Alles über mich /
Everything about myself

Meine Familie und ich /
My family and I

Mutter
mother

Vater
father

Junge
boy

Mädchen
girl

Baby
baby

Großmutter
grandmother

Großvater
grandfather

Zwillinge
twins

	Mutter	**mother**	[ˈmʌðə]
	Vater	**father**	[ˈfɑːðə]
	Junge	**boy**	[bɔɪ]
	Mädchen	**girl**	[gɜːl]
	Baby	**baby**	[ˈbeɪbɪ]
	Großmutter	**grandmother**	[ˈgrændmʌðə]
	Großvater	**grandfather**	[ˈgrændfɑːðə]
	Zwillinge	**twins**	[twɪnz]
	Tante	**aunt**	[ɑːnt]
	Onkel	**uncle**	[ˈʌŋkl]
	Tochter	**daughter**	[ˈdɔːtə]
	Sohn	**son**	[sʌn]
	Fotoapparat	**camera**	[ˈkæmərə]
	Augen	**eyes**	[aɪz]

Meine Familie und ich /
My family and I

Pia will mit ihrem 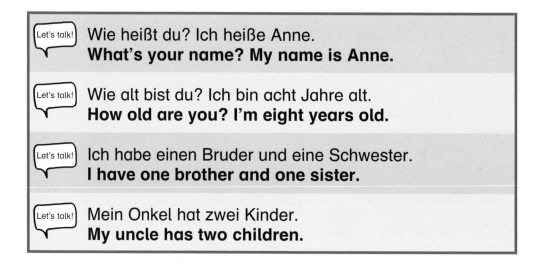 fotografieren.

Doch Pias verdreht die ,

weil ihr so wütend schaut.

Ihre schimpft mit ihrem ,

die streiten, und das weint.

Nein, heute fotografiert Pia nicht.

Let's talk!	Wie heißt du? Ich heiße Anne. **What's your name? My name is Anne.**
Let's talk!	Wie alt bist du? Ich bin acht Jahre alt. **How old are you? I'm eight years old.**
Let's talk!	Ich habe einen Bruder und eine Schwester. **I have one brother and one sister.**
Let's talk!	Mein Onkel hat zwei Kinder. **My uncle has two children.**

12

Pia wants to take photographs with her .

But Pia's rolls her

because her looks so angry.

Her scolds her ,

the fight and the cries.

No, today Pia does not take photographs.

Mein Körper / My body

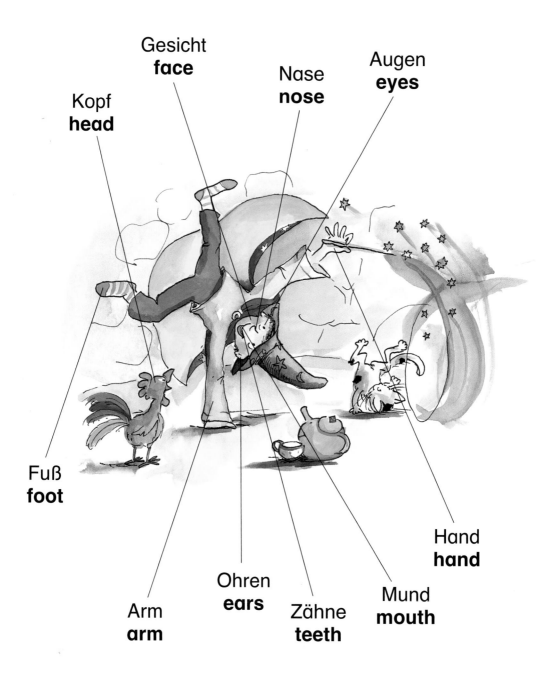

Gesicht
face

Nase
nose

Augen
eyes

Kopf
head

Fuß
foot

Hand
hand

Arm
arm

Ohren
ears

Zähne
teeth

Mund
mouth

	Kopf	**head**	[hed]
	Gesicht	**face**	[feɪs]
	Nase	**nose**	[nəʊz]
	Augen	**eyes**	[aɪz]
	Fuß	**foot**	[fʊt]
	Arm	**arm**	[ɑːm]
	Ohren	**ears**	[ɪəz]
	Zähne	**teeth**	[tiːθ]
	Mund	**mouth**	[maʊθ]
	Hand	**hand**	[hænd]
	Haare	**hair**	[heə]
	Bein	**leg**	[leg]
	Bauch	**belly**	['belɪ]
	Bett	**bed**	[bed]

Mein Körper / My body

Jan möchte noch im bleiben.

„Mir tun die weh", jammert er.

Mama glaubt ihm nicht. „Aber meine ,

mein und mein 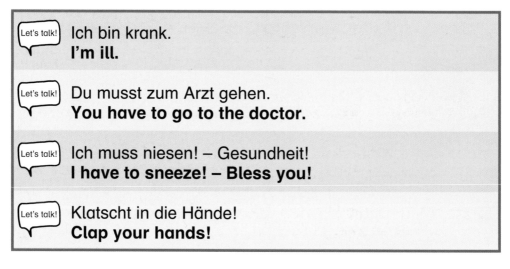 tun weh", behauptet

Jan. „Wie schade", sagt Mama. „Dann können

wir heute nicht spielen."

Und Jan springt schnell aus dem .

Let's talk!	Ich bin krank. **I'm ill.**
Let's talk!	Du musst zum Arzt gehen. **You have to go to the doctor.**
Let's talk!	Ich muss niesen! – Gesundheit! **I have to sneeze! – Bless you!**
Let's talk!	Klatscht in die Hände! **Clap your hands!**

Jan wants to stay in .

"My   hurt," he whines.

Mum doesn't believe him. "But my ,

my and my hurt," Jan claims.

"What a pity," Mum says. "Then we can't

play today."

And Jan jumps out of the fast.

Let's talk! Was ist das? Das sind meine Haare.
What's this? This is my hair.

Let's talk! Wie geht es dir? Danke, mir geht es gut.
How are you? Thanks, I'm fine.

Let's talk! Ich habe heute Bauchweh.
I have a bellyache today.

Let's talk! Mein Kopf tut weh.
My head hurts.

Kleidung / Clothes

Mantel
coat

Kleid
dress

T-Shirt
T-shirt

Pullover
pullover

Gummistiefel
rubber boots

Strümpfe
socks

Hose
trousers

Schuhe
shoes

Regenmantel
raincoat

	Mantel	**coat**	[kəʊt]
	Kleid	**dress**	[drɑes]
	T-Shirt	**T-shirt**	['tiːʃɜːt]
	Pullover	**pullover**	['pʊləʊvə]
	Gummistiefel	**rubber boots**	['rʌbə buːtz]
	Strümpfe	**socks**	[sɒkz]
	Schuhe	**shoes**	[ʃuːz]
	Hose	**trousers**	['traʊzəz]
	Regenmantel	**raincoat**	['reɪnkəʊt]
	Jacke	**jacket**	['dʒækɪt]
	Hemd	**shirt**	[ʃɜːt]
	Handschuhe	**gloves**	[glʌvz]
	Mütze	**cap**	[kæp]
	Haus	**house**	[haʊs]

Kleidung / Clothes

Timo zieht seinen warmen  und

seinen an. Es stürmt und regnet.

Er schlüpft in die und in die .

Als er endlich die aufsetzt,

regnet es immer noch. Timo zieht

alles wieder aus und bleibt

im warmen, trockenen .

Let's talk! Ich habe meinen blauen Rock an.
I am wearing my blue skirt.

Let's talk! Deine Jeans sind schmutzig.
Your jeans are dirty.

Let's talk! Ich trage gerne Turnschuhe.
I like wearing trainers.

Let's talk! Mein Freund Max trägt eine Brille.
My friend Max wears glasses.

Timo puts on his warm  and

his . It's stormy and it's raining.

He slips into his and into his .

When he finally puts on his ,

it's still raining. Timo takes everything off

again and stays in the warm, dry 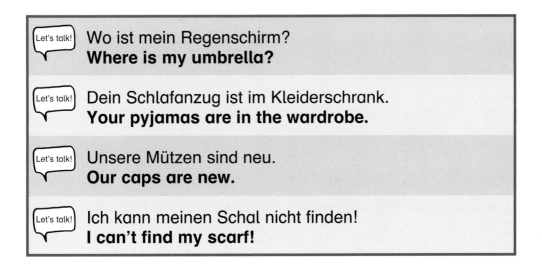.

Let's talk!	Wo ist mein Regenschirm? **Where is my umbrella?**
Let's talk!	Dein Schlafanzug ist im Kleiderschrank. **Your pyjamas are in the wardrobe.**
Let's talk!	Unsere Mützen sind neu. **Our caps are new.**
Let's talk!	Ich kann meinen Schal nicht finden! **I can't find my scarf!**

Mein Zuhause / My home

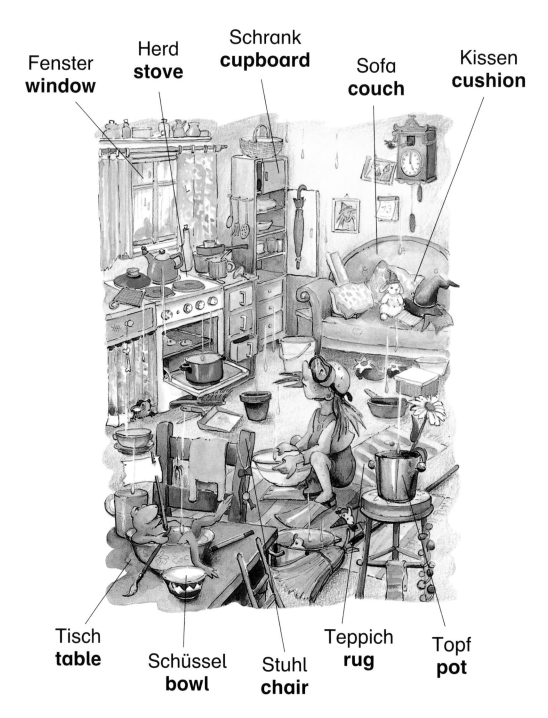

Fenster
window

Herd
stove

Schrank
cupboard

Sofa
couch

Kissen
cushion

Tisch
table

Schüssel
bowl

Stuhl
chair

Teppich
rug

Topf
pot

	Fenster	window	['wɪndəʊ]
	Herd	stove	[stəʊv]
	Schrank	cupboard	['kʌbɛd]
	Sofa	couch	[kaʊtʃ]
	Kissen	cushion	['kʊʃən]
	Tisch	table	['teɪbl]
	Schüssel	bowl	[bəʊl]
	Stuhl	chair	[tʃeə]
	Teppich	rug	[rʌg]
	Topf	pot	[pɒt]
	Bett	bed	[bed]
	Kühlschrank	refrigerator	[rɪ'frɪdʒəreɪtə]
	Tür	door	[dɔː]
	Mädchen	girl	[gɜːl]

Mein Zuhause / My home

Anne ist ein ordentliches !

Meistens! Manchmal findet sie einen

unter dem . Oder der liegt

auf ihrem . Eine steht

vor dem , und ihr klemmt

hinter dem . Aber normalerweise ist

Anne ein ordentliches . Wirklich!

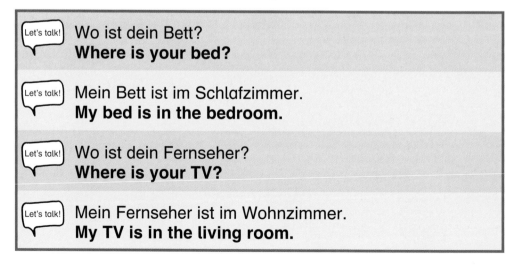

Let's talk! Wo ist dein Bett?
Where is your bed?

Let's talk! Mein Bett ist im Schlafzimmer.
My bed is in the bedroom.

Let's talk! Wo ist dein Fernseher?
Where is your TV?

Let's talk! Mein Fernseher ist im Wohnzimmer.
My TV is in the living room.

Anne is a tidy 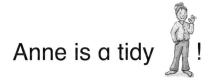 !

Mostly! Sometimes, she finds a

under the . Or the lies

on her . A stands in front of

the and her 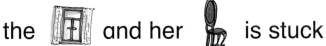 is stuck

behind the  . But normally,

Anne is a tidy . Really!

Let's talk!	Wo ist euer Herd?	**Where is your stove?**
Let's talk!	Unser Herd ist in der Küche.	**Our stove is in the kitchen.**
Let's talk!	Wo duschst du?	**Where do you have a shower?**
Let's talk!	Ich dusche im Badezimmer.	**I have a shower in the bathroom.**

Meine Spielsachen / My toys

Teddybär
teddy bear

Uhr
clock

Katze
cat

Bild
picture

Fahrrad
bicycle

Telefon
telephone

Bagger
digger

Rollschuh
roller skate

Ball
ball

Puppenwagen
doll's pram

	Uhr	**clock**	[klɒk]
	Katze	**cat**	[kæt]
	Teddybär	**teddy bear**	['tedɪ beə]
	Bild	**picture**	['pɪktʃə]
	Fahrrad	**bicycle**	['baɪsɪkl]
	Bagger	**digger**	['dɪgə]
	Telefon	**telephone**	['telɪfəʊn]
	Puppenwagen	**doll's pram**	['dɒlz præm]
	Rollschuhe	**roller skates**	['rəʊlə skeɪtz]
	Ball	**ball**	[bɔːl]
	Puppe	**doll**	[dɒl]
	Schaukelpferd	**rocking horse**	['rɒkɪŋ hɔːs]
	Malkasten	**paint box**	[peɪnt bɒks]
	Arme	**arms**	[ɑːmz]

27

Meine Spielsachen / My toys

Warum ist Lauras so traurig?

Weil die in ihrem sitzt?

Weil Laura sie nicht mit dem

spielen lässt? Oder ist die traurig,

weil sie vom gefallen und im

gelandet ist? Laura nimmt ihre

in ihre und tröstet sie.

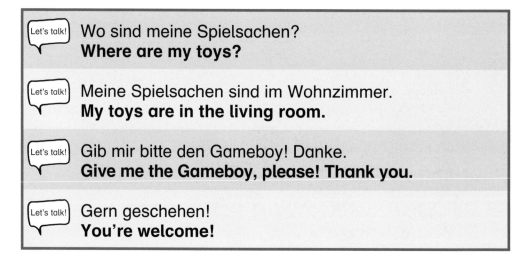

Let's talk! Wo sind meine Spielsachen?
Where are my toys?

Let's talk! Meine Spielsachen sind im Wohnzimmer.
My toys are in the living room.

Let's talk! Gib mir bitte den Gameboy! Danke.
Give me the Gameboy, please! Thank you.

Let's talk! Gern geschehen!
You're welcome!

Why is Laura's  so sad?

Because the sits in her ?

Because Laura doesn't let her play with

the ? Or is the sad

because she fell off the and landed

in the ? Laura takes her

in her and comforts her.

 Let's talk! Ich habe dein Auto kaputtgemacht. Entschuldige!
I broke your car. I'm sorry!

 Let's talk! Hilf mir mit meinem Puzzle!
Help me with my jigsaw!

 Let's talk! Lass uns zusammen ein Spiel spielen!
Let's play a game together!

Let's talk! Ja, lass uns würfeln.
Yes, let's play dice.

Meine Haustiere / My pets

Tierärztin
vet

Hund
dog

Pferd
horse

Katze
cat

Vogel
bird

Fell
fur

Schildkröte
turtle

Pfoten
paws

Käfig
cage

	Tierärztin	**vet**	[vet]
	Hund	**dog**	[dɒg]
	Pferd	**horse**	[hɔːs]
	Katze	**cat**	[kæt]
	Vogel	**bird**	[bɜːd]
	Fell	**fur**	[fɜː]
	Schildkröte	**turtle**	['tɜːtl]
	Pfoten	**paws**	[pɔːz]
	Käfig	**cage**	[keɪʤ]
	Futternapf	**feeding bowl**	['fiːdɪŋ bəʊl]
	Spritze	**syringe**	[sɪ'rɪnʤ]
	Hamster	**hamster**	['hæmstə]
	Hase	**rabbit**	['ræbɪt]
	Maus	**mouse**	[maʊs]

31

Meine Haustiere / My pets

Oles hat sich die verletzt.

Er bringt sie zur .

Die , der und der

fürchten sich vor Oles .

Und die fürchtet sich vor dem .

Aber der zittert auch. Denn bald

kommt die mit einer !

Let's talk! Ich habe einen Hund.
I have a dog.

Let's talk! Ist dein Hund groß? Nein, er ist klein.
Is your dog big? No, it's small.

Let's talk! Wo sind das Hundehalsband und die Hundeleine?
Where are the dog collar and the dog lead?

Let's talk! Meine Katze hat ein weiches Fell.
My cat has a soft fur.

Ole's  has injured its .

He brings it to the .

The , the and the

are afraid of Ole's .

And the is afraid of the .

But the trembles, too. Because soon,

the comes with a !

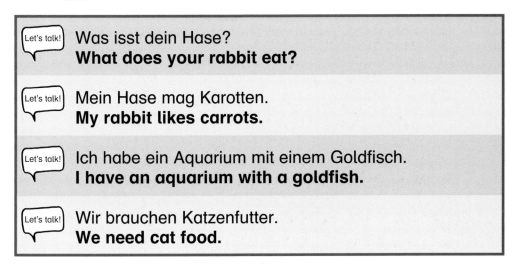

Let's talk! Was isst dein Hase?
What does your rabbit eat?

Let's talk! Mein Hase mag Karotten.
My rabbit likes carrots.

Let's talk! Ich habe ein Aquarium mit einem Goldfisch.
I have an aquarium with a goldfish.

Let's talk! Wir brauchen Katzenfutter.
We need cat food.

Freizeit / Leisure time

Computer
computer

Postkarten
postcards

CD-Player
CD player

Flöte
flute

Klavier
piano

Buch
book

Inlineskates
inline skates

Brettspiel
board game

Fußball
football

Tennisschläger
tennis racket

	Computer	**computer**	[kəmˈpjuːtə]
	Postkarten	**postcards**	[ˈpəʊstkɑːdz]
	CD-Player	**CD player**	[siːˈdiː ˈpleɪə]
	Flöte	**flute**	[fluːt]
	Klavier	**piano**	[pɪˈænəʊ]
	Buch	**book**	[bʊk]
	Inlineskates	**inline skates**	[ˈɪnlaɪn skeɪtz]
	Brettspiel	**board game**	[bɔːd geɪm]
	Fußball	**football**	[ˈfʊtbɔːl]
	Tennisschläger	**tennis racket**	[ˈtenɪs ˈrækɪt]
	CDs	**CDs**	[siːˈdiːz]
	Zeitschriften	**magazines**	[mægəˈziːnz]
	Papier	**paper**	[ˈpeɪpə]
	Buntstifte	**coloured pencils**	[ˈkʌləd ˈpensəlz]

Freizeit / Leisure time

Kevin langweilt sich. „Geh raus, und spiel mit dem 🖼 ", schlägt Papa vor. Aber es regnet!

Mit den 🖼 kann Kevin also auch nicht fahren. Die 🖼 sind stumpf, und der 🖼 ist kaputt.

„Dann übe 🖼 oder 🖼 ", sagt Papa.

Das hat er schon. Kevin liest lieber ein 🖼 .

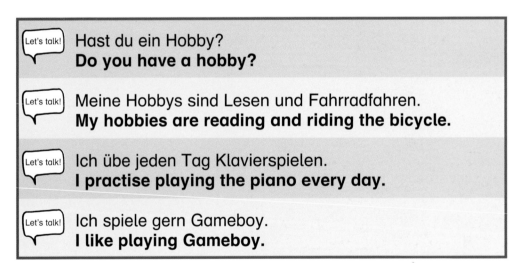

Let's talk!	Hast du ein Hobby? **Do you have a hobby?**
Let's talk!	Meine Hobbys sind Lesen und Fahrradfahren. **My hobbies are reading and riding the bicycle.**
Let's talk!	Ich übe jeden Tag Klavierspielen. **I practise playing the piano every day.**
Let's talk!	Ich spiele gern Gameboy. **I like playing Gameboy.**

Kevin is bored. "Go out and play with

the ," Dad suggests. But it's raining!

So, Kevin can't ride his  .

The are blunt and the is broken.

"Then practise the or the ,"

Dad says. But he already did that.

So, Kevin reads a 📖 .

Let's talk!	Mein Lieblingsspiel ist Fußball. **My favourite game is football.**
Let's talk!	Ich sammle Postkarten. **I collect postcards.**
Let's talk!	Anne spielt Tennis und tanzt gerne. **Anne plays tennis and likes dancing.**
Let's talk!	Max hört gerne Musik. **Max likes listening to music.**

Essen und trinken /
Eating and drinking

Brot
bread

Brötchen
roll

Käse
cheese

Milch
milk

Gabel
fork

Wurst
sausage

Messer
knife

Teller
plate

Serviette
napkin

	Brot	**bread**	[bred]
	Brötchen	**roll**	[rəʊl]
	Käse	**cheese**	[tʃiːz]
	Milch	**milk**	[mɪlk]
	Gabel	**fork**	[fɔːk]
	Wurst	**sausage**	['sɒsɪʤ]
	Messer	**knife**	[naɪf]
	Teller	**plate**	[pleɪt]
	Serviette	**napkin**	['næpkɪn]
	Ei	**egg**	[eg]
	Süßigkeiten	**sweets**	[swiːts]
	Glas	**glass**	[glɑːs]
	Tasse	**cup**	[kʌp]
	Katze	**cat**	[kæt]

Essen und trinken /
Eating and drinking

Mia fragt sich: Ob Mama schimpft,

wenn sie die über ihr gießt?

Oder wenn sie den ins steckt,

die der gibt und das

auf den schmiert? Aber dann nimmt

sie lieber eine und isst ordentlich

mit und .

Let's talk! Deck bitte den Tisch!
Set the table, please!

Let's talk! Was ist dein Lieblingsessen?
What's your favourite dish?

Let's talk! Mein Lieblingsessen ist Spagetti mit Butter.
My favourite dish is spaghetti with butter.

Let's talk! Ich mag Gummibärchen.
I like jelly bears.

Mia wonders: Will Mum scold her

if she pours the over her ?

Or if she puts the into the ,

gives the to the and smears

the on the ?

But then she takes a

and eats neatly with and .

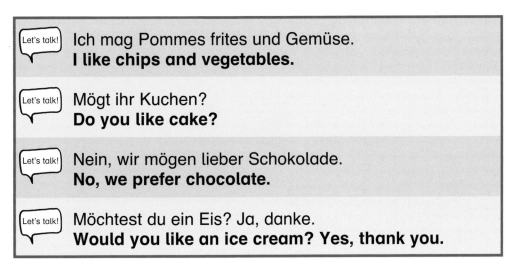

Einkaufen / Shopping

Wurst
sausage

Fleisch
meat

Metzgerei
butcher's

Metzger
butcher

Bäckerei
bakery

Hund
dog

Einkaufszettel
shopping list

Einkaufskorb
shopping basket

Brot
bread

	Wurst	**sausage**	['sɒsɪʤ]
	Fleisch	**meat**	[miːt]
	Metzgerei	**butcher's**	['bʊtʃəz]
	Metzger	**butcher**	['bʊtʃə]
	Bäckerei	**bakery**	['beɪkərɪ]
	Hund	**dog**	[dɒg]
	Einkaufszettel	**shopping list**	['ʃɒpɪŋ lɪst]
	Einkaufskorb	**shopping basket**	['ʃɒpɪŋ 'baːskɪt]
	Brot	**bread**	[bred]
	Hörnchen	**croissants**	['krwʌsɒŋz]
	Salat	**lettuce**	['letɪs]
	Tomaten	**tomatoes**	[təˈmaːtəʊz]
	Karotten	**carrots**	['kærətz]
	Kartoffeln	**potatoes**	[pəˈteɪtəʊz]

43

Einkaufen / Shopping

„Mein  kann einkaufen", behauptet

Marie. Sie schreibt und auf

den und schickt ihn los. Aber warum

bringt der  den zur ?

Weil es dort so gut riecht? „Nein", sagt Marie.

„Er hat vergessen, den zu lesen.

Normalerweise geht er zur  ."

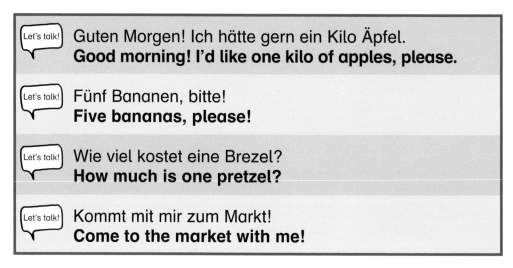

Let's talk! Guten Morgen! Ich hätte gern ein Kilo Äpfel.
Good morning! I'd like one kilo of apples, please.

Let's talk! Fünf Bananen, bitte!
Five bananas, please!

Let's talk! Wie viel kostet eine Brezel?
How much is one pretzel?

Let's talk! Kommt mit mir zum Markt!
Come to the market with me!

"My can go shopping," Marie claims.

She writes and on the

and sends it off. But why does

the bring the to the ?

Because of the nice smell? "No," Marie says.

"It forgot to read the .

Usually it goes to the ."

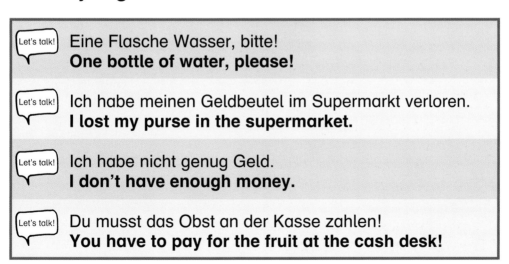

Let's talk!	Eine Flasche Wasser, bitte! **One bottle of water, please!**
Let's talk!	Ich habe meinen Geldbeutel im Supermarkt verloren. **I lost my purse in the supermarket.**
Let's talk!	Ich habe nicht genug Geld. **I don't have enough money.**
Let's talk!	Du musst das Obst an der Kasse zahlen! **You have to pay for the fruit at the cash desk!**

In der Schule / At school

Tafel
blackboard

Tür
door

Gitarre
guitar

Kinder
children

Bild
picture

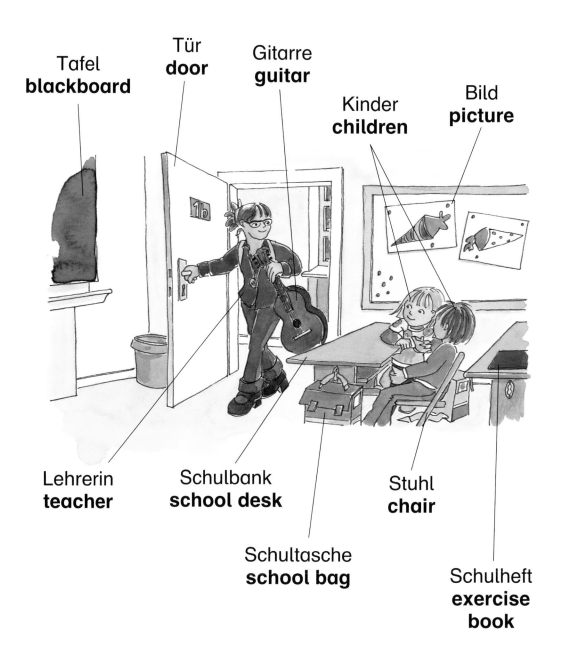

Lehrerin
teacher

Schulbank
school desk

Stuhl
chair

Schultasche
school bag

Schulheft
**exercise
book**

46

	Tafel	**blackboard**	[ˈblækbɔːd]
	Tür	**door**	[dɔː]
	Gitarre	**guitar**	[gɪˈtɑː]
	Kinder	**children**	[ˈtʃɪldrən]
	Bild	**picture**	[ˈpɪktʃə]
	Lehrerin	**teacher**	[ˈtiːtʃə]
	Schulbank	**school desk**	[ˈskuːl desk]
	Schultasche	**school bag**	[ˈskuːl bæg]
	Stuhl	**chair**	[tʃeə]
	Schulheft	**exercise book**	[ˈeksəsaɪz bʊk]
	Schultüte	**sugar bag**	[ˈʃʊgə bæg]
	Federmäppchen	**pencil case**	[ˈpensəl keɪs]
	Buch	**book**	[bʊk]
	Schule	**school**	[skuːl]

In der Schule / At school

Wenn Marco morgens zur geht,

ist seine schwer, weil so viel drin ist:

sein , sein und sein .

Heute wartet seine mit ihrer schon

an der . Marco geht zu seiner

und freut sich darauf, mit der zu singen.

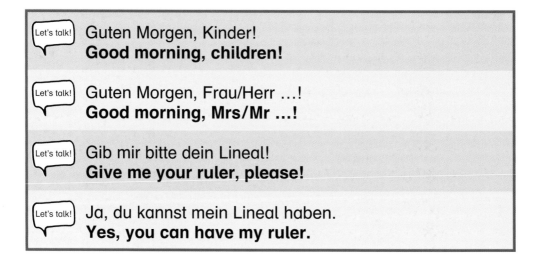

	Guten Morgen, Kinder! **Good morning, children!**
Let's talk!	Guten Morgen, Frau/Herr …! **Good morning, Mrs/Mr …!**
Let's talk!	Gib mir bitte dein Lineal! **Give me your ruler, please!**
Let's talk!	Ja, du kannst mein Lineal haben. **Yes, you can have my ruler.**

When Marco goes to in the morning,

his is heavy because so many things

are inside: his , his and his .

Today, his is already waiting at the

with her . Marco goes to his

and is looking forward to singing with the .

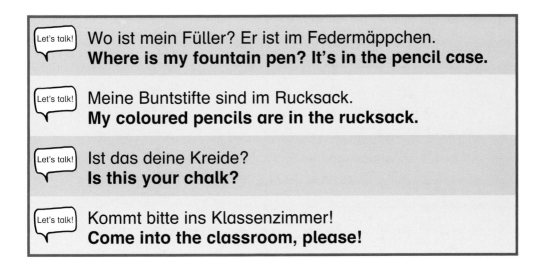

Let's talk! Wo ist mein Füller? Er ist im Federmäppchen.
Where is my fountain pen? It's in the pencil case.

Let's talk! Meine Buntstifte sind im Rucksack.
My coloured pencils are in the rucksack.

Let's talk! Ist das deine Kreide?
Is this your chalk?

Let's talk! Kommt bitte ins Klassenzimmer!
Come into the classroom, please!

Reisen / Travelling

Zugbegleiter
train conductor

Fenster
window

Waggon
wagon

Zug
train

Uhr
clock

Fahrschein
ticket

Frau
woman

Koffer
suitcase

Bahnsteig
platform

Mann
man

	Zugbegleiter	**train conductor**	[treɪn kɒnˈdʌktə]
	Fenster	**window**	[ˈwɪndəʊ]
	Waggon	**wagon**	[ˈwægən]
	Zug	**train**	[treɪn]
	Uhr	**clock**	[klɒk]
	Fahrscheine	**tickets**	[ˈtɪkɪtz]
	Frau	**woman**	[ˈwʊmən]
	Koffer	**suitcase**	[ˈsuːtkeɪs]
	Bahnsteig	**platform**	[ˈplætfɔːm]
	Mann	**man**	[mæn]
	Lok	**locomotive**	[ləʊkəˈməʊtɪv]
	Bahnhof	**train station**	[treɪn ˈsteɪʃən]
	Gleise	**tracks**	[trækz]
	Flugzeug	**aeroplane**	[ˈeərəpleɪn]

Reisen / Travelling

Papa und Tom schauen auf die .

Sie müssen sich beeilen, oder der

fährt ohne sie ab. Sie nehmen

den  und laufen zum .

Gut, dass sie ihre schon haben.

Sie rennen zum und springen

in den des . Das war knapp.

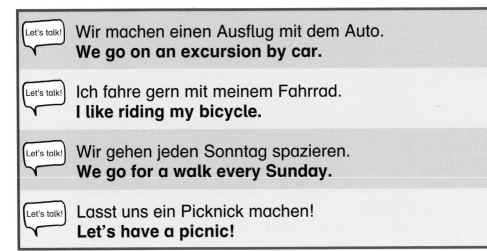

Let's talk!	Wir machen einen Ausflug mit dem Auto. **We go on an excursion by car.**
Let's talk!	Ich fahre gern mit meinem Fahrrad. **I like riding my bicycle.**
Let's talk!	Wir gehen jeden Sonntag spazieren. **We go for a walk every Sunday.**
Let's talk!	Lasst uns ein Picknick machen! **Let's have a picnic!**

Dad and Tom look at the .

They have to hurry or the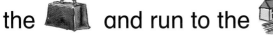

will leave without them. They take

the and run to the .

Luckily, they already have their .

They run to the and jump

into the of the . That was close.

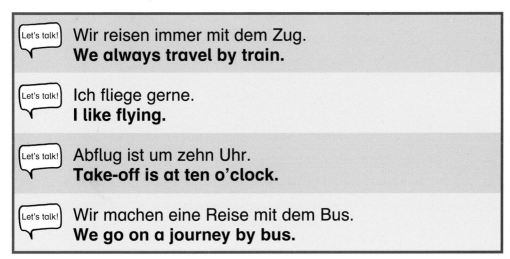

Let's talk!	Wir reisen immer mit dem Zug. **We always travel by train.**
Let's talk!	Ich fliege gerne. **I like flying.**
Let's talk!	Abflug ist um zehn Uhr. **Take-off is at ten o'clock.**
Let's talk!	Wir machen eine Reise mit dem Bus. **We go on a journey by bus.**

In der Stadt / In town

Mann
man

Frau
woman

Auto
car

Ampel
traffic lights

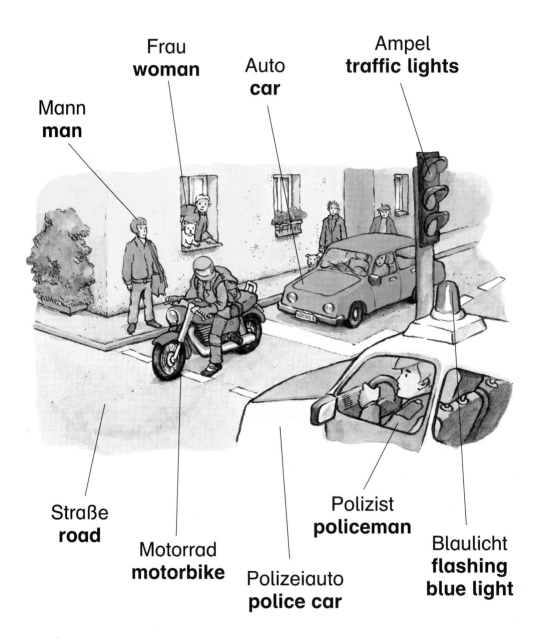

Straße
road

Motorrad
motorbike

Polizeiauto
police car

Polizist
policeman

Blaulicht
**flashing
blue light**

	Mann	**man**	[mæn]
	Frau	**woman**	['wʊmən]
	Auto	**car**	[kɑː]
	Ampel	**traffic lights**	['træfɪk laɪts]
	Straße	**road**	[rəʊd]
	Motorrad	**motorbike**	['məʊtəbaɪk]
	Polizeiauto	**police car**	[pə'liːs kɑː]
	Polizist	**policeman**	[pə'liːsmæn]
	Blaulicht	**flashing blue light**	['flæʃɪŋ bluː laɪt]
	Kreuzung	**crossroads**	['krɒsrəʊdz]
	Zebrastreifen	**zebra crossing**	['zebrə 'krɒsɪŋ]
	Verkehrsschild	**traffic sign**	['træfɪk saɪn]
	Fahrrad	**bicycle**	['baɪsɪkl]
	Unfall	**accident**	['æksɪdənt]

In der Stadt / In town

Lisa will die  überqueren.

Sie steht am  . Ein 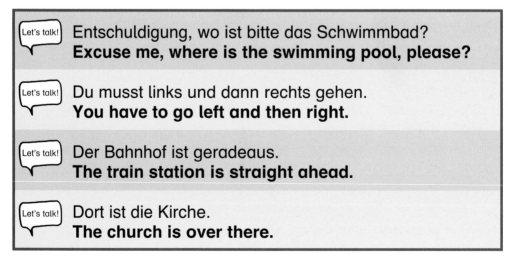 ,

ein 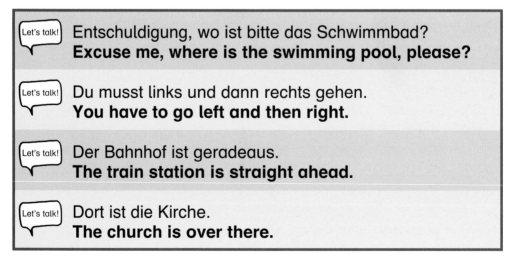 und ein 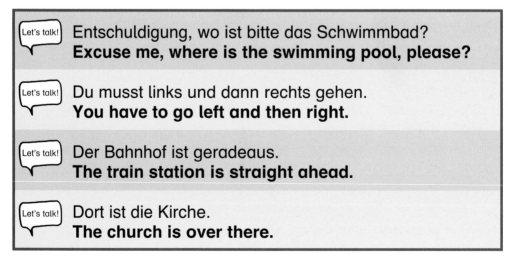 halten an,

um sie hinüberzulassen. Doch Lisa sieht

ein 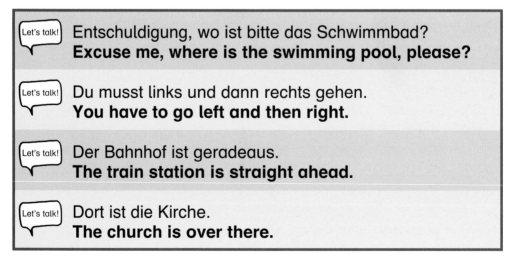 mit 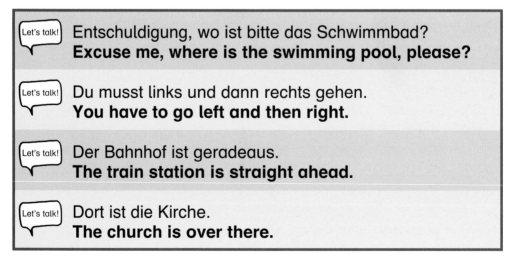 kommen. Sie wartet,

bis es vorbeifährt. Sicherlich muss

der 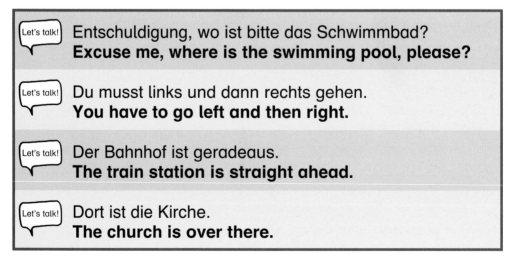 zu einem 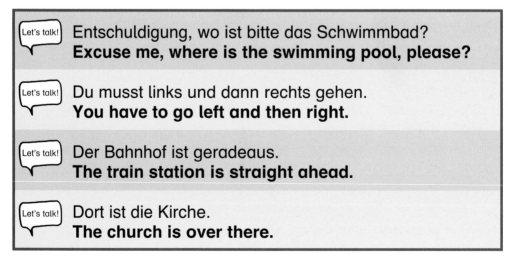 fahren.

Let's talk!	Entschuldigung, wo ist bitte das Schwimmbad? **Excuse me, where is the swimming pool, please?**
Let's talk!	Du musst links und dann rechts gehen. **You have to go left and then right.**
Let's talk!	Der Bahnhof ist geradeaus. **The train station is straight ahead.**
Let's talk!	Dort ist die Kirche. **The church is over there.**

Lisa wants to cross the .

She stands at the . A ,

a and a stop for her.

But Lisa sees a

with driving up. She waits

until it passes. Certainly,

the must drive to an 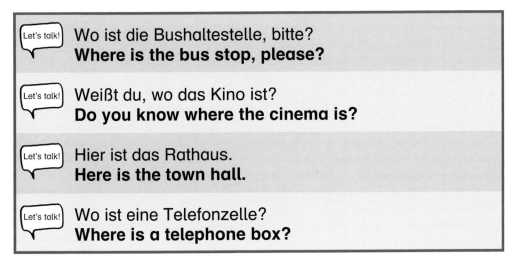 .

Let's talk!	Wo ist die Bushaltestelle, bitte? **Where is the bus stop, please?**
Let's talk!	Weißt du, wo das Kino ist? **Do you know where the cinema is?**
Let's talk!	Hier ist das Rathaus. **Here is the town hall.**
Let's talk!	Wo ist eine Telefonzelle? **Where is a telephone box?**

Auf dem Bauernhof / On the farm

Apfel
apple

Busch
bush

Baum
tree

Traktor
tractor

Kuh
cow

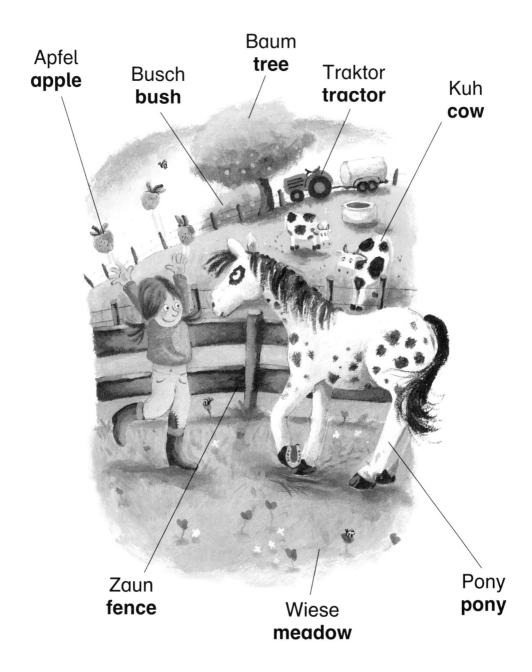

Zaun
fence

Wiese
meadow

Pony
pony

	Apfel	**apple**	['æpl]
	Busch	**bush**	[bʊʃ]
	Baum	**tree**	[triː]
	Traktor	**tractor**	['træktə]
	Kühe	**cows**	[kaʊz]
	Zaun	**fence**	[fens]
	Wiese	**meadow**	['medəʊ]
	Pony	**pony**	['pəʊnɪ]
	Stall	**stable**	['steɪbl]
	Würmer	**worms**	[wɜːmz]
	Misthaufen	**manure heap**	[mə'njʊə hiːp]
	Hühner	**chicken**	['tʃɪkɪn]
	Hahn	**rooster**	['ruːstə]
	Gans	**goose**	[guːs]

Auf dem Bauernhof / On the farm

Die  springt mit dem

über den . Die fressen

keine , sondern einen .

Die miaut auf dem ,

und die im legen

ein 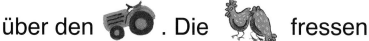 nach dem anderen.

Was wird der 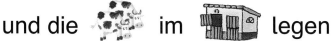 dazu sagen?

	Kannst du den Hund sehen? **Can you see the dog?**
	Ja, der Hund ist in der Hundehütte. **Yes, the dog is in the dog kennel.**
	Lass uns die Schweine füttern! **Let's feed the pigs!**
Let's talk!	Die Schweine fressen Kartoffelschalen. **The pigs eat potato peels.**

The 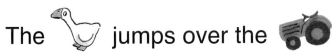 jumps over the

together with the . The

don't eat but an .

The meows on the

and the in the lay

one after the other.

What will the say about this?

Let's talk!	Der Bauer sät Weizen. **The farmer sows wheat.**
Let's talk!	Der Bauer erntet Mais. **The farmer harvests corn.**
Let's talk!	Die Äpfel sind reif. **The apples are ripe.**
Let's talk!	Ich melke die Kühe. **I milk the cows.**

Am Meer / By the sea

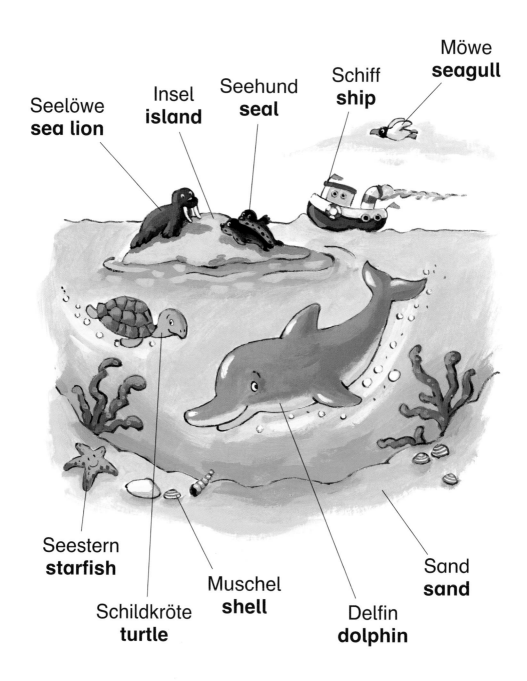

Möwe
seagull

Schiff
ship

Seehund
seal

Insel
island

Seelöwe
sea lion

Seestern
starfish

Schildkröte
turtle

Muschel
shell

Delfin
dolphin

Sand
sand

Seelöwe	**sea lion**	[siː ˈlaɪən]
Insel	**island**	[ˈaɪlənd]
Seehund	**seal**	[siːl]
Schiff	**ship**	[ʃɪp]
Möwe	**seagull**	[ˈsiːgʌl]
Seestern	**starfish**	[ˈstɑːfɪʃ]
Schildkröte	**turtle**	[ˈtɜːtl]
Muschel	**shell**	[ʃel]
Delfin	**dolphin**	[ˈdɒlfɪn]
Sand	**sand**	[sænd]
Wal	**whale**	[weɪl]
Krebs	**crab**	[kræb]
Sonne	**sun**	[sʌn]
Meer	**sea**	[siː]

Am Meer / By the sea

Hein und Knut segeln übers .

Ein dicker schwimmt neben ihrem .

Sie erreichen eine fremde .

Hoch über ihnen kreischt eine .

Im liegen eine , ein kleiner

und eine . Hein und Knut wollen

die erkunden.

Let's talk!	Kommt mit mir zum Strand! **Come to the beach with me!**
Let's talk!	Wir spielen im Sand. **We play in the sand.**
Let's talk!	Ich schwimme gerne im Meer. **I like swimming in the sea.**
Let's talk!	Sei vorsichtig, da ist eine Qualle! **Be careful, there's a jellyfish!**

64

Hein and Knut sail across the .

A fat swims beside their .

They reach an unknown .

High above them, a screeches.

In the  lie a , a small

and a . Hein and Knut want

to explore the 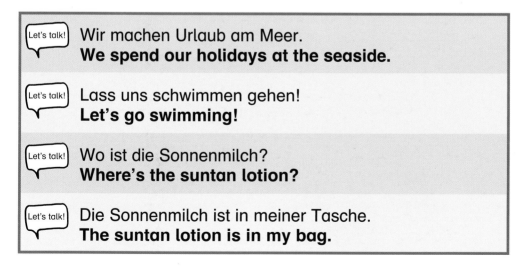 .

Wilde Tiere / Wild animals

Elefant
elephant

Bär
bear

Tiger
tiger

Schlange
snake

Blumen
flowers

Affe
monkey

	Elefant	**elephant**	['elɪfənt]
	Tiger	**tiger**	['taɪgə]
	Bär	**bear**	[beə]
	Schlange	**snake**	[sneɪk]
	Blumen	**flowers**	['flaʊəz]
	Affe	**monkey**	['mʌŋkɪ]
	Papagei	**parrot**	['pærət]
	Dschungel	**jungle**	['dʒʌŋgl]
	Zebra	**zebra**	['zebrə]
	Giraffe	**giraffe**	[dʒɪ'rɑːf]
	Vogel	**bird**	[bɜːd]
	Mücken	**mosquitoes**	[mɒs'kiːtəʊz]
	Löwe	**lion**	['laɪən]
	Schmetterling	**butterfly**	['bʌtəflaɪ]

Wilde Tiere / Wild animals

Paul kann brummen wie ein .

Er ist mutig wie ein , und manchmal

plappert er wie ein . Paul kann

auch schleichen wie ein ,

kriechen wie eine und

klettern wie ein . Aber fliegen

wie ein kann er nicht. Schade!

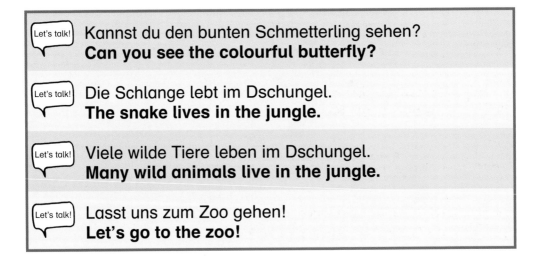

Let's talk!	Kannst du den bunten Schmetterling sehen? **Can you see the colourful butterfly?**
Let's talk!	Die Schlange lebt im Dschungel. **The snake lives in the jungle.**
Let's talk!	Viele wilde Tiere leben im Dschungel. **Many wild animals live in the jungle.**
Let's talk!	Lasst uns zum Zoo gehen! **Let's go to the zoo!**

Paul can growl like a .

He is brave like a and sometimes

he chatters like a . Paul can

also creep like a ,

crawl like a and

climb like a . But he can't fly

like a . What a pity!

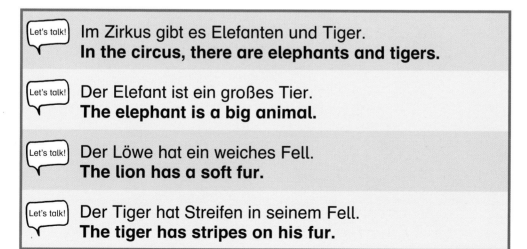

Let's talk!	Im Zirkus gibt es Elefanten und Tiger. **In the circus, there are elephants and tigers.**
Let's talk!	Der Elefant ist ein großes Tier. **The elephant is a big animal.**
Let's talk!	Der Löwe hat ein weiches Fell. **The lion has a soft fur.**
Let's talk!	Der Tiger hat Streifen in seinem Fell. **The tiger has stripes on his fur.**

Das weiß ich schon /
I already know

Uhrzeit / Time

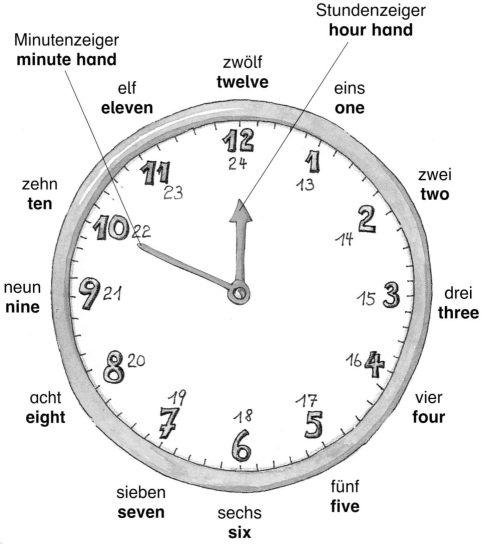

Stundenzeiger
hour hand

Minutenzeiger
minute hand

zwölf
twelve

elf
eleven

eins
one

zehn
ten

zwei
two

neun
nine

drei
three

acht
eight

vier
four

sieben
seven

sechs
six

fünf
five

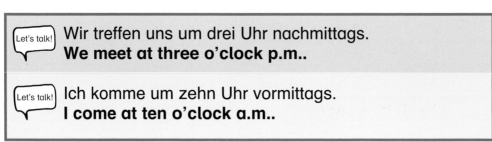

Let's talk! Wir treffen uns um drei Uhr nachmittags.
We meet at three o'clock p.m..

Let's talk! Ich komme um zehn Uhr vormittags.
I come at ten o'clock a.m..

Es ist ein Uhr.
It's one o'clock.

 Es ist zehn Uhr.
It's ten o'clock.

 Es ist zwei Uhr.
It's two o'clock.

 Es ist elf Uhr.
It's eleven o'clock.

 Es ist drei Uhr.
It's three o'clock.

 Es ist zwölf Uhr.
It's twelve o'clock.

 Es ist vier Uhr.
It's four o'clock.

 Es ist Viertel vor eins.
It's a quarter to one.

 Es ist fünf Uhr.
It's five o'clock.

 Es ist Viertel nach eins.
It's a quarter past one.

 Es ist sechs Uhr.
It's six o'clock.

 Es ist halb zwei.
It's half past one.

 Es ist sieben Uhr.
It's seven o'clock.

 Es ist eine Minute vor drei.
It's one minute to three.

 Es ist acht Uhr.
It's eight o'clock.

 Es ist eine Minute
nach drei.
**It's one minute
past three.**

 Es ist neun Uhr.
It's nine o'clock.

Mein Tag / My day

Der Weihnachtsmann wacht jeden Morgen um sieben Uhr auf.
Santa Clause wakes up at seven o'clock every morning.

Der Weihnachtsmann duscht immer um halb acht.
Santa Clause always has a shower at half past seven.

Der Weihnachtsmann isst ein Ei zum Frühstück.
Santa Clause has an egg for breakfast.

Bis zum Mittagessen räumt er sein Wohnzimmer auf.
He tidies up his living room until lunch.

Nachmittags macht der Weihnachtsmann ein Nickerchen.
In the afternoons, Santa Clause takes a nap.

Abends geht der Weihnachtsmann zur Arbeit.
In the evenings, Santa Clause goes to work.

Nach dem Abendessen spült er das Geschirr.
After dinner, he washes the dishes.

Um zwölf Uhr geht der Weihnachtsmann ins Bett.
At twelve o'clock, Santa Clause goes to bed.

Wochentage / Weekdays

Montag
Monday

Welcher Tag ist heute? Heute ist Montag.
What day is it today? Today is Monday.

Dienstag
Tuesday

Ich gehe jeden Dienstag schwimmen.
I go swimming every Tuesday.

Mittwoch
Wednesday

Mittwochs geht Anne reiten.
On Wednesdays, Anne goes riding.

Donnerstag
Thursday

Donnerstags spiele ich mit Frank.
On Thursdays, I play with Frank.

Freitag
Friday

Am Freitag habe ich Geburtstag.
It's my birthday on Friday.

Samstag
Saturday

Samstags gehen wir einkaufen.
On Saturdays, we go shopping.

Sonntag
Sunday

Der Sonntag ist der siebte Tag
der Woche.
**Sunday is the seventh day
of the week.**

Monate / Months

	Januar	**January**	['ʤænjuərɪ]
	Februar	**February**	['februərɪ]
	März	**March**	[mɑːtʃ]
	April	**April**	['eɪprəl]
	Mai	**May**	[meɪ]
	Juni	**June**	[ʤuːn]
	Juli	**July**	[ʤuːˈlaɪ]
	August	**August**	['ɔːgəst]
	September	**September**	[sepˈtembə]
	Oktober	**October**	[ɒkˈtəʊbə]
	November	**November**	[nəʊˈvembə]
	Dezember	**December**	[dɪˈsembə]

Jahreszeiten / Seasons

Im Frühling blühen alle Blumen.
In spring, all flowers blossom.

Im Sommer ist es heiß.
In summer, it's hot.

Im Herbst fallen die Blätter von den Bäumen.
In autumn, the leaves fall from the trees.

Im Winter schneit es.
In winter, it snows.

Wir feiern meinen Geburtstag /
We are celebrating my birthday

An meinem Geburtstag bäckt meine Mutter einen Kuchen.
On my birthday, my mother bakes a cake.

Es sind acht Kerzen auf dem Kuchen.
There are eight candles on the cake.

Ich feiere eine Party mit meinen Freunden.
I have a party with my friends.

Wir schmücken mein Zimmer mit Luftballons.
We decorate my room with balloons.

Anne gibt mir einen Blumenstrauß als Geschenk.
Anne gives me a bunch of flowers as a present.

Ich bin als Zauberer verkleidet.
I'm dressed up as a wizard.

Herzlichen Glückwunsch zum Geburtstag!
Happy birthday!

Wir feiern Ostern /
We are celebrating Easter

 An Ostern kommt der Osterhase.
At Easter, the Easter Bunny comes.

 Der Osterhase versteckt die Eier.
The Easter Bunny hides the eggs.

 Wir bemalen die Eier für Ostern mit einem Pinsel.
For Easter, we paint the eggs with a brush.

 Das Küken schlüpft aus dem Ei.
The chick hatches out of the egg.

 Wir suchen das Nest im Garten.
We are looking for the nest in the garden.

Frohe Ostern!

Happy Easter!

Wir feiern Weihnachten /
We are celebrating Christmas

 An Weihnachten schmücken wir
den Weihnachtsbaum.
At Christmas, we decorate the Christmas tree.

 In England kommt der Weihnachtsmann
am 25. Dezember.
**In England, Santa Clause comes
on the 25th of December.**

 Er bringt uns viele Geschenke.
He brings us many presents.

 Der Weihnachtsmann fährt auf einem Schlitten.
Santa Clause rides on a sleigh.

 Zwei Engel begleiten ihn.
Two angels accompany him.

 An Weihnachten backen wir zusammen Lebkuchen.
At Christmas, we bake gingerbread together.

Fröhliche Weihnachten und ein gutes neues Jahr!

Merry Christmas and a happy New Year!

Verben / Verbs

to answer	**antworten**
Answer fast!	**Antworte** schnell!
to ask questions	**Fragen stellen**
Ask many questions!	**Stell** viele Fragen!
to be	**sein**
Where **are** you? **I am** here.	Wo **bist** du? Ich **bin** hier.
to bring	**bringen**
Bring me the newspaper, please!	**Bring** mir bitte die Zeitung!
to brush	**bürsten**
Tina **is brushing** her hair.	Tina **bürstet** gerade ihre Haare.
to buy	**kaufen**
I am **buying** an ice cream every day.	Ich **kaufe** jeden Tag ein Eis.
to close	**schließen**
Close the books, please!	**Schließt** bitte die Bücher!
to come from	**kommen aus**
Anne **comes** from Berlin, I **come** from Cologne.	Anne **kommt** aus Berlin, ich **komme** aus Köln.
to count	**zählen**
I **count** the stars.	Ich **zähle** die Sterne.

to dance	**tanzen**
I **dance** every day.	Ich **tanze** jeden Tag.
to do	**machen/tun**
Anne always **does** her homework.	Anne **macht** immer ihre Hausaufgaben.
to dress up	**sich verkleiden**
I **dress up** as a witch.	Ich **verkleide mich** als Hexe.
to draw	**malen**
Tina **is drawing** a picture.	Tina **malt** gerade ein Bild.
to drink	**trinken**
We **drink** tea.	Wir **trinken** Tee.
to eat	**essen**
I **eat** fruit every day.	Ich **esse** jeden Tag Obst.
to feed	**füttern**
Katja **feeds** her pony every day.	Katja **füttert** jeden Tag ihr Pony.
to get up	**aufstehen**
We **get up** at seven o'clock every morning.	Wir **stehen** jeden Morgen um sieben Uhr **auf**.
to give	**geben**
Give me a biscuit, please!	**Gib** mir bitte einen Keks!

to go by
I **go** to school **by** bus every day.

fahren mit
Ich **fahre** jeden Tag **mit** dem Bus zur Schule.

to have
Sina **has** two brothers.

haben
Sina **hat** zwei Brüder.

to laugh
Jan **laughs** very loud.

lachen
Jan **lacht** sehr laut.

to like
I **like** snow.

mögen
Ich **mag** Schnee.

to listen
Listen to the teacher!

zuhören
Hör der Lehrerin **zu**!

to live
I **live** in Germany.

leben
Ich **lebe** in Deutschland.

to look at something
I **am looking at** the sky.

etwas anschauen
Ich **schaue** gerade **in** den Himmel.

to look for something
Anna **is looking for** her cat.

etwas suchen
Anna **sucht** gerade ihre Katze.

to open
Mia **opens** a bottle of juice.

öffnen
Mia **öffnet** eine Flasche Saft.

to pay for something	**etwas bezahlen**
I **pay** for the bread with my money.	Ich **bezahle** das Brot mit meinem Geld.
to play	**spielen**
Lisa and Tom **play** football.	Lisa und Tom **spielen** Fußball.
to rain	**regnen**
It **is raining**.	Es **regnet** gerade.
to read	**lesen**
We **read** a story together.	Wir **lesen** zusammen eine Geschichte.
to see	**sehen**
I can **see** the moon.	Ich kann den Mond **sehen**.
to show	**zeigen**
Show me your photographs, please!	**Zeig** mir bitte deine Fotos!
to sing	**singen**
I **sing** a song with my sister.	Ich **singe** ein Lied mit meiner Schwester.
to sit	**sitzen**
My grandmother and my grandfather **sit** on the couch together.	Meine Großmutter und mein Großvater **sitzen** zusammen auf dem Sofa.

to sleep Tina **sleeps** eight hours every night.	**schlafen** Tina **schläft** jede Nacht acht Stunden.
to take Theo **takes** two apples.	**nehmen** Theo **nimmt** zwei Äpfel.
to want to do something I **want to ride my bicycle**.	**etwas tun wollen** Ich **will Fahrrad fahren**.
to walk Anna **is walking** to the train station.	**laufen** Anna **läuft** gerade zum Bahnhof.
to wash Lena **washes** her hair.	**waschen** Lena **wäscht** ihre Haare.
to wear Ali **is wearing** new jeans today.	**tragen/anhaben** Ali **hat** heute neue Jeans **an**.
to write I **write** a letter.	**schreiben** Ich **schreibe** einen Brief.

Gegensätze / Opposites

Das Eis ist kalt.
The ice cream is cold.

Der Tee ist heiß.
The tea is hot.

Der Zauberer ist dünn.
The wizard is thin.

Der Zauberer ist dick.
The wizard is fat.

Der Elefant ist groß.
The elephant is big.

Die Ameise ist klein.
The ant is small.

Die Schildkröte ist langsam.
The turtle is slow.

Der Tiger rennt schnell.
The tiger runs fast.

Der Felsen ist hart.
The rock is hard.

Das Kopfkissen ist weich.
The pillow is soft.

Die Schlange ist lang.
The snake is long.

Die Würmer sind kurz.
The worms are short.

Wasser ist nass.
Water is wet.

Der Baumstamm ist trocken.
The tree trunk is dry.

Die Beeren sind süß.
The berries are sweet.

Die Gurke ist sauer.
The cucumber is sour.

Der Besen ist neu.
The broom is new.

Der Besen ist alt.
The broom is old.

Der Luftballon ist leicht.
The balloon is light.

Der Stein ist schwer.
The stone is heavy.

Farben / Colours

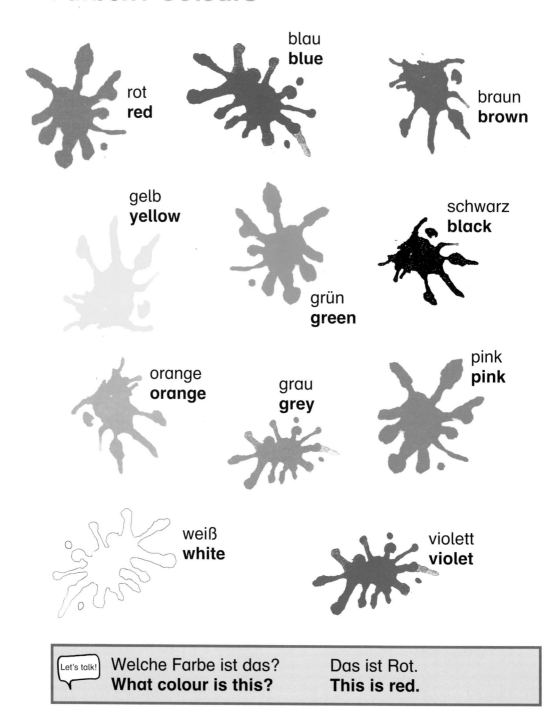

rot
red

blau
blue

braun
brown

gelb
yellow

grün
green

schwarz
black

orange
orange

grau
grey

pink
pink

weiß
white

violett
violet

Let's talk! | Welche Farbe ist das? **What colour is this?** | Das ist Rot. **This is red.**

Das Alphabet / The alphabet

A	A	[eɪ]	N	N	[en]
B	B	[biː]	O	O	[əʊ]
C	C	[siː]	P	P	[piː]
D	D	[diː]	Q	Q	[kjuː]
E	E	[iː]	R	R	[ɑː]
F	F	[ef]	S	S	[es]
G	G	[dʒiː]	T	T	[tiː]
H	H	[eitʃ]	U	U	[juː]
I	I	[aɪ]	V	V	[viː]
J	J	[dʒeɪ]	W	W	[ˈdʌbljuː]
K	K	[keɪ]	X	X	[eks]
L	L	[el]	Y	Y	[waɪ]
M	M	[em]	Z	Z	[zed]

Die Zahlen / The numbers

0	null	**zero**	['zɪərəʊ]
1	eins	**one**	[wʌn]
2	zwei	**two**	[tuː]
3	drei	**three**	[θriː]
4	vier	**four**	[fɔː]
5	fünf	**five**	[faɪv]
6	sechs	**six**	[sɪks]
7	sieben	**seven**	['sevən]
8	acht	**eight**	[eɪt]
9	neun	**nine**	[naɪn]
10	zehn	**ten**	[ten]
11	elf	**eleven**	[ɪ'levən]
12	zwölf	**twelve**	[twelv]
13	dreizehn	**thirteen**	[θɜː'tiːn]

14	vierzehn	**fourteen**	[fɔːˈtiːn]
15	fünfzehn	**fifteen**	[fɪfˈtiːn]
16	sechzehn	**sixteen**	[sɪkˈstiːn]
17	siebzehn	**seventeen**	[ˈsevəntiːn]
18	achtzehn	**eighteen**	[eɪˈtiːn]
19	neunzehn	**nineteen**	[naɪnˈtiːn]
20	zwanzig	**twenty**	[ˈtwentɪ]
30	dreißig	**thirty**	[ˈθɜːtɪ]
40	vierzig	**forty**	[ˈfɔːtɪ]
50	fünfzig	**fifty**	[ˈfɪftɪ]
60	sechzig	**sixty**	[ˈsɪkstɪ]
70	siebzig	**seventy**	[ˈsevəntɪ]
80	achtzig	**eighty**	[ˈeɪtɪ]
90	neunzig	**ninety**	[ˈnaɪntɪ]
100	hundert	**hundred**	[ˈhʌndrəd]

Vokabelverzeichnis / Vocabulary

Deutsch – Englisch

A

Abend .... **evening** [ˈiːvnɪŋ] 76
Abendessen ..... **dinner** [ˈdɪnə] 77
abends .... **in the evening**
       [ɪn ðə ˈiːvnɪŋ] 76
abends
(Uhrzeit) .... **p.m.** [pi: em] 72
aber .... **but** [bʌt] 12
abfahren .... **to leave** [tu liːv] 52
Abflug .... **take-off** [teɪk ɒf] ... 53
acht .... **eight** [eɪt] 72
acht Uhr .... **eight o'clock**
       [eɪt əˈklɒk] 73
achtzehn .... **eighteen** [eɪˈtiːn] 95
achtzig .... **eighty** [ˈeɪtɪ] 95
Affe .... **monkey** [ˈmʌŋkɪ] 66
alle .... **all** [ɔːl] 80
Alphabet .... **alphabet** [ˈælfabet] ... 93
also .... **so** [səʊ] 36
alt .... **old** [əʊld] 12
Ameise .... **ant** [ænt] 90
Ampel .... **traffic lights**
       [ˈtræfɪk laɪts] 54
an (Weihnachten,
Ostern) .... **at** [æt] 83
anhaben, tragen .. **to wear** [tu weə] 20
anhalten .... **to stop** [tu stɒp] 56
etwas anschauen,
betrachten ...... **to look at something**
       [tu lʊk æt ˈsʌmθɪŋ] 87
antworten ...... **to answer** [tu ˈɑːnsə] .. 86
anziehen,
aufsetzen ...... **to put on** [tu pʊt ɒn] .. 20
Apfel .... **apple** [ˈæpl] 44
April .... **April** [ˈeɪprəl] 79
Aquarium ...... **aquarium**
       [əˈkweərɪəm] ...:... 33
Arbeit .... **work** [wɜːk] 76

Arm .... **arm** [ɑːm] 14
jemanden in die
Arme nehmen .... **to take somebody**
       in one's arms
       [tu teɪk ˈsʌmbədɪ
       ɪn wʌnz ɑːmz] 28
Arzt .... **doctor** [ˈdɒktə] 16
auch .... **too, also**
       [tuː, ˈɔːlsəʊ] 32, 69
auf .... **on** [ɒn] 24
aufräumen ...... **to tidy up**
       [tu taɪdɪ ʌp] 75
aufstehen ...... **to get up** [tu get ʌp] .. 86
aufwachen ..... **to wake up**
       [tu weɪk ʌp] 74
Auge .... **eye** [aɪ] 11
die Augen
verdrehen ...... **to roll one's eyes**
       [tu rəʊl wʌnz aɪz] 12
August .... **August** [ˈɔːgəst] 79
Ausflug .... **excursion**
       [ɪkˈskɜːʃn] 52
ausschlüpfen .... **to hatch out**
       [tu hætʃ aʊt] 83
ausziehen ...... **to take off**
       [tu teɪk ɒf] 20
Auto .... **car** [kɑː] 29

B

Baby .... **baby** [ˈbeɪbɪ] 10
backen .... **to bake** [tu beɪk] 82
Bäckerei .... **bakery** [ˈbeɪkərɪ] 42
Badezimmer ..... **bathroom**
       [ˈbɑːθruːm] 25
Bagger .... **digger** [ˈdɪgə] 26
Bahnhof .... **train station**
       [treɪn ˈsteɪʃən] 50
Bahnsteig ...... **platform** [ˈplætfɔːm] ... 50
bald .... **soon** [suːn] 32
Ball .... **ball** [bɔːl] 26

Banane . . . . **banana** [bəˈnɑːnə] 44

Bär . . . . **bear** [beə] 66

Bauch . . . . **belly** [ˈbelɪ] 15

Bauchweh . . . . . . **bellyache** [ˈbelɪeɪk] . . . 17

Bauer . . . . **farmer** [ˈfɑːmə] 61

Bauernhof . . . . . . **farm** [fɑːm] 58

Baum . . . . **tree** [triː] 58

Baumstamm . . . . . **tree trunk** [triː trʌŋk] . . 91

sich beeilen . . . . . . **to hurry** [tu ˈhʌrɪ] 52

Beere . . . . **berry** [ˈberɪ] 91

jemanden

begleiten . . . . **to accompany**

                  somebody

                  [tu əˈkʌmpənɪ

                  ˈsʌmbədɪ] 84

etwas

behaupten . . . . . . **to claim something**

                  [tu kleɪm ˈsʌmθɪŋ] 16

Bein . . . . **leg** [leg] 15

bemalen . . . . **to paint** [tu peɪnt] 83

Besen . . . . **broom** [bruːm] 91

bester, beste,

bestes . . . . **best** [best] 13

Bett . . . . **bed** [bed] 15

ins Bett gehen . . . . **to go to bed**

                  [tu gəʊ tu bed] 77

etwas

bezahlen . . . . **to pay**

                  for something

                  [tu peɪ

                  fɔː ˈsʌmθɪŋ] 45

Bild . . . . **picture** [ˈpɪktʃə] 26

bis . . . . **until** [ʌnˈtɪl] 56

bitte . . . . **please** [pliːz] 28

Blatt . . . . **leaf** [liːf] 81

Blätter . . . . **leaves** [liːvz] 81

blau . . . . **blue** [bluː] 20

Blaulicht . . . . **flashing blue light**

                  [ˈflæʃɪŋ bluː laɪt] 54

bleiben . . . . **to stay** [tu steɪ] 16

blühen . . . . **to blossom**

                  [tu ˈblɒsəm] 80

Blume . . . . **flower** [ˈflaʊə] 66

Blumenstrauß . . . . **bunch of flowers**

                  [bʌnʃ ɒv ˈflaʊəz] 82

brauchen . . . . **to need** [tu niːd] 33

braun . . . . **brown** [braʊn] 92

Brettspiel . . . . **board game**

                  [bɔːd geɪm] 34

Brezel . . . . **pretzel** [ˈpretsəl] 44

Brief . . . . **letter** [ˈletə] 88

Brille . . . . **glasses** [ˈglɑːsɪz] 20

bringen . . . . **to bring** [tu brɪŋ] 32

Brot . . . . **bread** [bred] 38

Brötchen . . . . **roll** [rəʊl] 38

Bruder . . . . **brother** [ˈbrʌðə] 12

brummen . . . . **to growl** [tu graʊl] 68

Buch . . . . **book** [bʊk] 34

bunt . . . . **colourful** [ˈkʌləfəl] . . . 68

Buntstift . . . . **coloured pencil**

                  [ˈkʌləd ˈpensəl] 35

bürsten . . . . **to brush** [tu brʌʃ] 86

Bus . . . . **bus** [bʌs] 53

Busch . . . . **bush** [bʊʃ] 58

Bushaltestelle . . . . **bus stop** [bʌs stɒp] . . . 57

Butter . . . . **butter** [ˈbʌtə] 40

C

CD . . . . **CD** [siːˈdiː] 35

CD-Player . . . . . . **CD player**

                  [siːˈdiː ˈpleɪə] 34

Computer . . . . . . **computer**

                  [kəmˈpjuːtə] 34

D

da, dort . . . . **there** [ðeə] 56, 64

Danke! . . . . **Thanks!,**

                  Thank you!

                  [θæŋkz, θæŋk juː] . . 17, 28

dann . . . . **then** [ðen] 16

dein, deine,

euer, eure . . . . . . **your** [jɔː] 20, 25

Delfin . . . . **dolphin** [ˈdɒlfɪn] 62

denn . . . . **because** [bɪˈkɒz] 32

der, die, das ..... the [ðə] 12, 16

Deutschland ..... Germany ['dʒɜːmənɪ] .. 13

Dezember **December**
[dɪ'sembə] 79

dick .... **fat** [fæt] 64

Dienstag .... **Tuesday** ['tjuːzdɪ] 78

Donnerstag ...... **Thursday** ['θɜːzdɪ] 78

dort .... **(over) there**
(['əʊvə]) ['ðɛə] 56

drei .... **three** [θriː] 72

drei Uhr .... **three o'clock**
[θriː ə'klɒk] 72

dreißig .... **thirty** ['θɜːtɪ] 95

dreizehn ...... **thirteen** [θɜː'tiːn] 94

drinnen .... **inside** [ɪn'saɪd] 48

Dschungel .... **jungle** ['dʒʌŋgl] 67

du .... **you** [juː] 12

dünn .... **thin** [θɪn] 90

duschen .... **to have a shower**
[tu hæv ə 'ʃəʊə] 25

E

Ei .... **egg** [eg] 39

ein, eine .... **a, an** [ə, æn] 24, 52

ein Uhr .... **one o'clock**
[wʌn ə'klɒk] 73

einkaufen .... **to go shopping**
[tu gəʊ 'ʃɒpɪŋ] 42

Einkaufskorb ..... **shopping basket**
['ʃɒpɪŋ 'bɑːskɪt] 42

Einkaufszettel .... **shopping list**
['ʃɒpɪŋ lɪst] 42

eins .... **one** [wʌn] 12

Eis .... **ice cream** ['aɪs kriːm] .. 41

Eisenbahn ...... **train** [treɪn] 27

Elefant .... **elephant** ['elɪfənt] 66

elf .... **eleven** [ɪ'levən] 72

elf Uhr .... **eleven o'clock**
[ɪ'levən ə'klɒk] 73

endlich .... **finally** ['faɪnəlɪ] 20

Engel .... **angel** ['eɪndʒəl] 84

England .... **England** ['ɪŋlənd] 84

Entschuldige! .... **I'm sorry!**
[aɪm 'sɒrɪ] 29

Entschuldigung! .. **Excuse me!**
[ɪk'skjuːz miː] 56

er .... **he** [hiː] 16

erkunden .... **to explore**
[tu ɪk'splɔː] 64

ernten .... **to harvest**
[tu 'hɑːvɪst] 61

erreichen .... **to reach** [tu riːtʃ] 64

es .... **it** [ɪt] 20

essen .... **to eat** [tu iːt] 33

F

fahren .... **to drive** [tu draɪv] 56

fahren (mit dem
Bus, Zug, etc.) ... **to go by (bus, train)**
[tu gəʊ baɪ
(bʌs, treɪn)] 87

Fahrrad .... **bicycle** ['baɪsɪkl] 26

Fahrrad fahren ... **to ride a bicycle**
[tu raɪd ə 'baɪsɪkl] 36

Fahrschein ...... **ticket** ['tɪkɪt] 50

fallen .... **to fall** [tu fɔːl] 28

Familie .... **family** ['fæməlɪ] 10

Farbe .... **colour** ['kʌlə] 92

Februar .... **February** ['februərɪ] ... 79

Federmäppchen .. **pencil case**
['pensəl keɪs] 47

feiern .... **to celebrate**
[tu 'seləbreɪt] 82

Fell .... **fur** [fɜː] 30

Felsen .... **rock** [rɒk] 90

Fenster .... **window** ['wɪndəʊ] 22

Fernseher .... **TV** [tiː'viː] 24

finden .... **to find** [tu faɪnd] 21

Flasche .... **bottle** ['bɒtl] 45

Fleisch .... **meat** [miːt] 42

fliegen .... **to fly** [tu flaɪ] 53

Flöte .... **flute** [fluːt] 34

Flugzeug .... **aeroplane**
['eərəpleɪn] 51

Foto . . . . **photograph**
. . . . ['fəʊtəgraːf] 13

Fotoapparat . . . . . **camera** ['kæmərə] 11

fotografieren . . . . . **to take photographs**
. . . . [tu teɪk 'fəʊtəgraːfz] . . . 12

Frage . . . . **question**
. . . . ['kwestʃən] 86

Fragen stellen,
fragen . . . . **to ask (questions)**
. . . . [tu aːsk 'kwestʃənz] 86

sich fragen . . . . . . **to wonder**
. . . . [tu 'wʌndə] 40

Frau . . . . **woman** ['wʊmən] 50

Frauen . . . . **women** ['wɪmɪn] 50

Freitag . . . . **Friday** ['fraɪdɪ] 78

Freizeit . . . . **leisure time**
. . . . ['leʒə taɪm] 34

fressen . . . . **to eat** [tu iːt] 60

sich auf
etwas freuen . . . . . **to look forward to**
. . . . [tu lʊk 'fɔːwəd tu] 48

Freund,
Freundin . . . . **friend** [frend] 13

Frohe Ostern! . . . . **Happy Easter!**
. . . . ['hæpɪ 'iːstə] 83

Frohe
Weihnachten! . . . . **Merry Christmas!**
. . . . ['merɪ 'krɪsməs] 84

Frühling . . . . **spring** [sprɪŋ] 80

Frühstück . . . . **breakfast** ['brekfəst] . . 75

frühstücken . . . . . . **to have breakfast**
. . . . [tu hæv 'brekfəst] 75

Füller . . . . **fountain pen**
. . . . ['faʊntɪn pen] 49

fünf . . . . **five** [faɪv] 44

fünf Uhr . . . . **five o'clock**
. . . . [faɪv ə'klɒk] 73

fünfzehn . . . . **fifteen** [fɪf'tiːn] 95

fünfzig . . . . **fifty** ['fɪftɪ] 95

sich fürchten . . . . . **to be afraid**
. . . . [tu biː ə'freɪd] 32

Fuß . . . . **foot** [fʊt] 14

Füße . . . . **feet** [fiːt] 14

Fußball . . . . **football** ['fʊtbɔːl] 34

Fußball spielen . . . **to play football**
. . . . [tu pleɪ 'fʊtbɔːl] 36

füttern . . . . **to feed** [tu fiːd] 60

Futternapf . . . . . . **feeding bowl**
. . . . ['fiːdɪŋ bəʊl] 31

G

Gabel . . . . **fork** [fɔːk] 38

Gameboy . . . . **Gameboy**
. . . . [geɪm bɔɪ] 28

Gans . . . . **goose** [guːs] 59

Gänse . . . . **geese** [giːs] 59

Garten . . . . **garden** ['gaːdən] 83

geben . . . . **to give** [tu gɪv] 28

Geburtstag . . . . . . **birthday** ['bɜːθdeɪ] 78

Gegensatz . . . . . . **opposite** ['ɒpəzɪt] 90

gehen . . . . **to go** [tu gəʊ] 16

gelb . . . . **yellow** ['jeləʊ] 92

Geld . . . . **money** ['mʌnɪ] 45

Geldbeutel . . . . . . **purse** [pɜːs] 45

Gemüse . . . . **vegetables**
. . . . ['vedʒtəblz] 41

genug . . . . **enough** [ɪ'nʌf] 45

geradeaus . . . . **straight ahead**
. . . . [streɪt ə'hed] 56

etwas gerne tun . . **to like**
. . . . **doing something**
. . . . [tu laɪk
. . . . 'duːɪŋ 'sʌmθɪŋ] 20

Gern
geschehen! . . . . . . **You're welcome!**
. . . . [jɔː 'welkəm] 28

Geruch . . . . **smell** [smel] 44

Geschenk . . . . **present** ['prezənt] 82

Geschichte . . . . . . **story** ['stɔːrɪ] 88

Geschirr spülen . . **to wash the dishes**
. . . . [tu wɒʃ ðə 'dɪʃəz] 77

Gesicht . . . . **face** [feɪs] 14

Gesundheit! . . . . . **Bless you!** [bles juː] . . 16

Giraffe . . . . **giraffe** [dʒɪ'raːf] 67

Gitarre . . . . **guitar** [gɪˈtɑː] 46

Glas . . . . **glass** [glɑːs] 39

glauben . . . . **to believe**
[tu brˈliːv] 16

Gleis . . . . **track** [træk] 51

glücklicherweise . . **luckily** [ˈlʌkɪlɪ] 52

Goldfisch . . . . **goldfish** [ˈgəʊldfɪʃ] 33

grau . . . . **grey** [greɪ] 92

groß . . . . **big** [bɪg] 32

Großmutter . . . . . . **grandmother**
[ˈgrændmʌðə] 10

Großvater . . . . **grandfather**
[ˈgrændfɑːðə] 10

grün . . . . **green** [griːn] 92

Gummibärchen . . . **jelly bears**
[ˈdʒelɪ beəz] 40

Gummistiefel . . . . . **rubber boots**
[ˈrʌbə buːtz] 18

Gurke . . . . **cucumber**
[ˈkjuːkʌmbə] 90

gut . . . . **good, fine, nice**
[gʊd, faɪn,
naɪs] 12, 17, 44

Guten Morgen! . . . **Good morning!**
[gʊd ˈmɔːnɪŋ] 44

H

Haare . . . . **hair** [heə] 15

haben . . . . **to have** [tu hæv] 12

Hahn . . . . **rooster** [ˈruːstə] 59

halb *(Uhrzeit)* . . . . **half past**
[hɑːf pɑːst] 32

Hamster . . . . . . **hamster** [ˈhæmstə] 31

Hand . . . . **hand** [hænd] 14

Handschuh . . . . . . **glove** [glʌv] 19

hart . . . . **hard** [hɑːd] 90

Hase . . . . **rabbit** [ˈræbɪt] 31

Haus . . . . **house** [haʊs] 19

Hausaufgaben . . . **homework**
[ˈhəʊmwɜːk] 86

Haustier . . . . **pet** [pet] 30

heiß . . . . **hot** [hɒt] 80

Wie heißt du? . . . . **What's your name?**
[wɒtz jɔː neɪm] 12

helfen . . . . **to help** [tu help] 29

Hemd . . . . **shirt** [ʃɜːt] 19

heranfahren . . . . . **to drive up**
[tu draɪv ʌp] 56

Herbst . . . . **autumn** [ˈɔːtəm] 81

Herd . . . . **stove** [stəʊv] 22

Herzlichen
Glückwunsch
zum Geburtstag! . . **Happy birthday!**
[ˈhæpɪ ˈbɜːθdeɪ] 82

heute . . . . **today** [təˈdeɪ] 12

Hexe . . . . **witch** [wɪtʃ] 86

hier . . . . **here** [hɪə] 57

Himmel . . . . **sky** [skaɪ] 88

in etwas
hineinschlüpfen . . . **to slip**
into something
[tu slɪp
ˈɪntə ˈsʌmθɪŋ] 20

hineinstecken . . . . **to put into**
[tu pʊt ˈɪntu] 40

hinter . . . . **behind** [bɪˈhaɪnd] 24

Hobby . . . . **hobby** [ˈhɒbɪ] 36

hoch . . . . **high** [haɪ] 64

Hörnchen . . . . **croissant**
[ˈkrwʌsɒŋ] 43

Hose . . . . **trousers** [ˈtraʊzəz] 18

Huhn, Hühner . . . . **chicken** [ˈtʃɪkɪn] 59

Hund . . . . **dog** [dɒg] 30

Hundehalsband . . **dog collar**
[dɒg ˈkɒlə] 32

Hundehütte . . . . . . **dog kennel**
[dɒg ˈkenəl] 60

Hundeleine . . . . . . **dog lead** [dɒg liːd] . . . 32

hundert . . . . **hundred** [ˈhʌndrəd] . . . 95

I

ich . . . . **I, me** [aɪ, miː] 10, 12

ihr, ihre . . . . **her** [hɜː] 12

im . . . . **in the** [ɪn ðə] 49

immer . . . . always ['ɔːlweɪz] 44

immer noch . . . . . . still [stɪl] 20

in . . . . in [ɪn] 13

Inlineskates . . . . . . inline skates
['ɪnlaɪn skeɪtz] 34

Inlineskates

fahren . . . . to ride inline skates
[tu raɪd 'ɪnlaɪn skeɪtz] . . 36

Insel . . . . island ['aɪlənd] 62

J

ja . . . . yes [jes] 29

Jacke . . . . jacket ['dʒækɪt] 19

Jahr . . . . year [jɪə] 12

Jahreszeit . . . . season ['siːzən] 80

jammern . . . . to whine [tu waɪn] 16

Januar . . . . January
['dʒænjuərɪ] 79

Jeans . . . . jeans [dʒiːnz] 20

jeder, jede,

jedes . . . . every ['evrɪ] 36

Juli . . . . July [dʒuːˈlaɪ] 79

Junge . . . . boy [bɔɪ] 10

Juni . . . . June [dʒuːn] 79

K

Käfig . . . . cage [keɪdʒ] 30

kalt . . . . cold [kəʊld] 81

kaputt . . . . broken ['brəʊkən] 36

kaputtmachen . . . . to break [tu breɪk] 29

Karotte . . . . carrot ['kærət] 33

Kartoffel . . . . potato [pəˈteɪtəʊ] 43

Kartoffelschale . . . potato peel
[pəˈteɪtəʊ piːl] 60

Käse . . . . cheese [tʃiːz] 38

Kasse . . . . cash desk [kæʃ desk] . . 45

Katze . . . . cat [kæt] 26

Katzenfutter . . . . . cat food [kæt fuːd] 33

kaufen . . . . to buy [tu baɪ] 86

Keks . . . . biscuit ['bɪskɪt] 87

Kerze . . . . candle ['kændl] 82

Kilo . . . . kilo ['kiːləʊ] 44

Kind . . . . child [tʃaɪld] 12

Kinder . . . . children [tʃɪldrən] 12

Kino . . . . cinema ['sɪnəmə] 57

Kirche . . . . church [tʃɜːtʃ] 56

Kissen . . . . cushion ['kʊʃən] 22

Klassenzimmer . . . classroom
['klɑːsruːm] 49

klatschen . . . . to clap [tu klæp] 16

Klavier . . . . piano [pɪˈænəʊ] 34

Klavier spielen . . . to play the piano
[tu pleɪ ðə pɪˈænəʊ] . . . 36

Kleid . . . . dress [dres] 18

Kleidung . . . . clothes [kləʊðz] 18

klein . . . . small [smɔːl] 32

klemmen . . . . to stick [tu stɪk] 24

klettern . . . . to climb [tu klaɪm] 68

Koffer . . . . suitcase ['suːtkeɪs] 50

Köln . . . . Cologne [kəˈləʊn] 86

kommen (aus) . . . . to come (from)
[tu kʌm frɒm] 13

können . . . . can [kæn] 16

Kopf . . . . head [hed] 14

Kopfkissen . . . . . . pillow ['pɪləʊ] 89

Körper . . . . body ['bɒdɪ] 14

kosten . . . . to cost [tu kɒst] 44

krank . . . . ill [ɪl] 16

Krebs . . . . crab [kræb] 63

Kreide . . . . chalk [tʃɔːk] 49

kreischen . . . . to screech [tu skriːtʃ] . . 64

Kreuzung . . . . crossroads
['krɒsrəʊdz] 55

kriechen . . . . to crawl [tu krɔːl] 68

Küche . . . . kitchen ['kɪtʃɪn] 25

Kuchen . . . . cake [keɪk] 41

Kuh . . . . cow [kaʊ] 58

Kühlschrank . . . . . refrigerator
[rɪˈfrɪdʒəreɪtə] 83

Küken . . . . chick [tʃɪk] 83

kurz . . . . short [ʃɔːt] 91

L

lachen . . . . to laugh [tu lɑːf] 87

101

landen	to land [tu lænd]	28
lang	long [lɒŋ]	91
langsam	slow [sləʊ]	90
sich langweilen	to be bored [tu biː bɔːd]	36
jemanden etwas tun lassen	to let somebody do something [tu let 'sʌmbədɪ duː 'sʌmθɪŋ]	28
laufen	to walk [tu wɔːk]	52
leben	to live [tu lɪv]	13
Lebkuchen	gingerbread ['dʒɪndʒəbred]	84
legen	to lay [tu leɪ]	60
Lehrer, Lehrerin	teacher ['tiːtʃə]	46
leicht	light [laɪt]	91
lesen	to read [tu riːd]	36
Lieblingsessen	favourite dish ['feɪvərɪt dɪʃ]	40
Lieblingskuchen	favourite cake ['feɪvərɪt keɪk]	41
Lieblingsspiel	favourite game ['feɪvərɪt geɪm]	37
Lied	song [sɒŋ]	87
liegen	to lie [tu laɪ]	24
Lineal	ruler ['ruːlə]	48
links	left [left]	56
Lok	locomotive [ləʊkə'məʊtɪv]	51
Löwe	lion ['laɪən]	67
jemanden losschicken	to send somebody off [tu send 'sʌmbədɪ ɒf]	44
Luftballon	balloon [bə'luːn]	82

M

machen, tun	to do, to make [tu duː, tu meɪk]	36, 52
Mädchen	girl [gɜːl]	10
Mai	May [meɪ]	79
Mais	corn [kɔːn]	61
malen	to draw [tu drɔː]	86
Malkasten	paint box [peɪnt bɒks]	27
Mama	Mum [mʌm]	16
Mann	man [mæn]	50
manchmal	sometimes ['sʌmtaɪmz]	24
Männer	men [men]	50
Mantel	coat [kəʊt]	18
Markt	market ['mɑːkɪt]	44
März	March [mɑːtʃ]	79
Mäuse	mice [maɪs]	31
Maus	mouse [maʊs]	31
Meer	sea [siː]	62
am Meer	at the seaside [æt ðə 'siːsaɪd]	65
mein, meine	my [maɪ]	10
meistens	mostly ['məʊstlɪ]	24
melken	to milk [tu mɪlk]	61
Messer	knife [naɪf]	38
Metzger	butcher ['bʊtʃə]	42
Metzgerei	butcher's ['bʊtʃəz]	42
miauen	to meow [tu miː'aʊ]	60
Milch	milk [mɪlk]	38
Minute	minute ['mɪnɪt]	73
Minutenzeiger	minute hand ['mɪnɪt hænd]	72
Misthaufen	manure heap [mə'njʊə hiːp]	59
mit	with [wɪθ]	32
mit jemandem mitkommen	to come with somebody [tu kʌm wɪθ 'sʌmbədɪ]	44
Mittagessen	lunch [lʌnʃ]	75
Mittwoch	Wednesday ['wenzdɪ]	78
mögen	to like [tu laɪk]	33
lieber mögen	to prefer [tu prɪ'fɜː]	41
Monat	month [mʌnθ]	79

Mond . . . . **moon** [muːn] 88

Montag . . . . **Monday** ['mʌndɪ] 78

Morgen . . . . **morning** ['mɔːnɪŋ] 44

morgens . . . . **in the morning**
[ɪn ðə 'mɔːnɪŋ] 48

morgens
(Uhrzeit) . . . . **a.m.** [eɪ em] 72

Motorrad . . . . **motorbike**
['məʊtəbaɪk] 54

Möwe . . . . **seagull** ['siːgʌl] 62

Mücke . . . . **mosquito**
[məˈskiːtəʊ] 67

Mund . . . . **mouth** [maʊθ] 14

Muschel . . . . **shell** [ʃel] 62

Musik . . . . **music** ['mjuːzɪk] 37

Musik hören . . . . . **to listen to music**
[tu 'lɪsən tu 'mjuːzɪk] . . . 37

etwas
tun müssen . . . . . . **to have**
to do something
[tu hæv
tu duː 'sʌmθɪŋ] 16

mutig . . . . **brave** [breɪv] 68

Mutter . . . . **mother** ['mʌðə] 10

Mütze . . . . **cap** [kæp] 19

N

nach . . . . **after** [ɑːftə] 60

Nachmittag . . . . . . **afternoon**
[ɑːftəˈnuːn] 76

nachmittags . . . . . **in the afternoon**
[ɪn ðiː ɑːftəˈnuːn] 72

nachmittags
(Uhrzeit) . . . . **p.m.** [piː em] 72

Nacht . . . . **night** [naɪt] 88

Nase . . . . **nose** [nəʊz] 14

nass . . . . **wet** [wet] 91

neben . . . . **beside** [bɪˈsaɪd] 56

nehmen . . . . . **to take** [tu teɪk] . . . 40

nein . . . . **no** [nəʊ] 12

Nest . . . . **nest** [nest] 83

neu . . . . **new** [njuː] 21

neun . . . . **nine** [naɪn] 72

neun Uhr . . . . **nine o'clock**
[naɪn əˈklɒk] 73

neunzehn . . . . . . **nineteen** [naɪnˈtiːn] . . . 95

neunzig . . . . **ninety** ['naɪntɪ] 95

nicht . . . . **not** [nɒt] 16

ein Nickerchen
machen . . . . **to take a nap**
[tu teɪk ə næp] 76

niesen . . . . **to sneeze** [tu sniːz] . . . 16

normalerweise . . . **normally** ['nɔːməlɪ],
usually ['juːʒʊəlɪ] . . 24, 45

November . . . . **November**
[nəʊˈvembə] 79

null . . . . **zero** ['zɪərəʊ] 94

O

Obst . . . . **fruit** [fruːt] 45

oder . . . . **or** [ɔː] 28

öffnen . . . . **to open** [tu 'əʊpən] . . . 87

ohne . . . . **without** [wɪˈðaʊt] 52

Ohr . . . . **ear** [ɪə] 14

Oktober . . . . **October** [ɒkˈtəʊbə] . . . 79

Onkel . . . . **uncle** ['ʌŋkl] 11

orange . . . . **orange** ['ɒrɪndʒ] 92

ordentlich . . . . . . **tidy** ['taɪdɪ] 24

Osterhase . . . . **Easter Bunny**
['iːstə 'bʌnɪ] 83

Ostern . . . . **Easter** ['iːstə] 83

P

Papa . . . . **Dad** [dæd] 36

Papagei . . . . **parrot** ['pærət] 67

Papier . . . . **paper** ['peɪpə] 35

Party . . . . **party** ['pɑːtɪ] 82

eine Party feiern . . **to have a party**
[tu hæv ə 'pɑːtɪ] 82

Pferd . . . . **horse** [hɔːs] 30

Pfote . . . . **paw** [pɔː] 30

Picknick . . . . **picnic** ['pɪknɪk] 52

pink . . . . **pink** [pɪŋk] 92

Pinsel . . . . **brush** [brʌʃ] 83

103

plappern . . . . **to chatter** [tu 'tʃætə] . . 68

Polizeiauto . . . . . . **police car**
[pə'liːs kɑː] 54

Polizist . . . . **policeman**
[pə'liːs mæn] 54

Pommes frites . . . . **chips** [tʃɪps] . . . 41

Pony . . . . **pony** ['pəʊnɪ] 58

Postkarte . . . . **postcard**
['pəʊstkɑːd] 34

Pullover . . . . **pullover**
['pʊləʊvə] 18

Puppe . . . . . . **doll** [dɒl] 27

Puppenwagen . . . . **doll's pram**
['dɒlz præm] 26

Puzzle . . . . **jigsaw** ['dʒɪgsɔː] 29

Q

Qualle . . . . **jellyfish** ['dʒelɪfɪʃ] 64

R

Rathaus . . . . **town hall**
[taʊn hɔːl] 57

rausgehen . . . . **to go out**
[tu gəʊ aʊt] 36

rechts . . . . **right** [raɪt] 56

Regenmantel . . . . **raincoat** ['reɪnkəʊt] . . . 18

Regenschirm . . . . **umbrella** [ʌm'brelə] . . . 21

regnen . . . . **to rain** [tu reɪn] 20

reif . . . . **ripe** [raɪp] 61

Reise . . . . **journey** ['dʒɜːnɪ] 53

reisen . . . . **to travel** [tu 'trævəl] . . . 50

reiten gehen . . . . . **to go riding**
[tu gəʊ 'raɪdɪŋ] 78

rennen . . . . **to run** [tu rʌn] 52

Rock . . . . **skirt** [skɜːt] 20

Rollschuh . . . . **roller skate**
['rəʊlə skeɪt] 26

Rollschuh
fahren . . . . **to ride roller skates**
[tu raɪd
'rəʊlə skeɪtz] 26

rot . . . . **red** [red] 91

Rucksack . . . . **rucksack** ['rʌksæk] 49

S

Sache . . . . **thing** [θɪŋ] 48

säen . . . . **to sow** [tu səʊ] 61

Saft . . . . **juice** [dʒuːs] 87

sagen . . . . **to say** [tu seɪ] 16

Salat . . . . **lettuce** ['letɪs] 43

sammeln . . . . **to collect** [tu kə'lekt] . . 37

Samstag . . . . **Saturday** ['sætədɪ] 78

Sand . . . . **sand** [sænd] 62

sauer . . . . **sour** ['saʊə] 91

Schal . . . . **scarf** [skɑːf] 21

schauen . . . . **to look** [tu lʊk] 12

Schaukelpferd . . . **rocking horse**
['rɒkɪŋ hɔːs] 27

Schiff . . . . **ship** [ʃɪp] 62

Schildkröte . . . . . **turtle** ['tɜːtl] 30

schimpfen . . . . **to scold** [tu skəʊld] . . . 12

schlafen . . . . **to sleep** [tu sliːp] 88

Schlafanzug . . . . . **pyjamas**
[pɪ'dʒɑːməz] 21

Schlafzimmer . . . . **bedroom** ['bedruːm] . . 24

Schlange . . . . **snake** [sneɪk] 66

schleichen . . . . **to creep** [tu kriːp] 68

schließen . . . . **to close** [tu kləʊz] 86

Schlitten . . . . **sleigh** [sleɪ] 84

Schlitten fahren . . **to ride a sleigh**
[tu raɪd ə sleɪ] 84

Schmetterling . . . . **butterfly** ['bʌtəflaɪ] 67

schmieren . . . . **to smear** [tu smɪə] . . . 40

schmücken . . . . . . **to decorate**
[tu 'dekəreɪt] 82

schmutzig . . . . **dirty** ['dɜːtɪ] 20

Schnee . . . . **snow** [snəʊ] 87

schneien . . . . **to snow** [tu snəʊ] 81

schnell . . . . **fast** [fɑːst] 16

schon . . . . **already** [ɔːl'redɪ] 48

Schokolade . . . . . . **chocolate** ['tʃɒkələt] . . 41

Schrank . . . . **cupboard** ['kʌbəd] 23

schreiben . . . . **to write** [tu raɪt] 44

Schuh . . . . **shoe** [ʃuː] 18

Schulbank . . . . **school desk**
['skuːl desk] 46

Schule . . . . **school** [skuːl] 46

Schulheft . . . . **exercise book**
['eksəsaɪz bʊk] 46

Schultüte . . . . **sugar bag**
['ʃʊgə bæg] 47

Schultasche . . . . . **school bag**
['skuːl bæg] 46

Schüssel . . . . **bowl** [bəʊl] 22

schütten . . . . **to pour** [tu pɔː] 40

schwarz . . . . **black** [blæk] 92

Schwein . . . . **pig** [pɪg] 60

schwer . . . . **heavy** ['hevɪ] 48

Schwester . . . . **sister** ['sɪstə] 12

Schwimmbad . . . . **swimming pool**
['swɪmɪŋ puːl] 56

schwimmen . . . . . . **to swim** [tu swɪm] 64

sechs . . . . **six** [sɪks] 72

sechs Uhr . . . . **six o'clock**
[sɪks ə'klɒk] 73

sechzehn . . . . **sixteen** [sɪk'stiːn] 95

sechzig . . . . **sixty** ['sɪkstɪ] 95

Seehund . . . . **seal** [siːl] 62

Seelöwe . . . . **sea lion** [siː 'laɪən] 62

Seestern . . . . **starfish** ['staːfɪʃ] 62

segeln . . . . **to sail** [tu seɪl] 64

sehen . . . . **to see** [tu siː] 60

sein . . . . **to be** [tu biː] 12

sein, seine . . . . **his** [hɪz] 20

September . . . . . . **September**
[sep'tembə] 79

Serviette . . . . **napkin** ['næpkɪn] 38

sicherlich . . . . **certainly** ['sɜːtənlɪ] 56

sie . . . . **she, they** [ʃiː, ðeɪ] . . 24, 52

sieben . . . . **seven** ['sevən] 72

sieben Uhr . . . . . . **seven o'clock**
['sevən ə'klɒk] 73

siebte . . . . **seventh** ['sevənθ] 78

siebzehn . . . . **seventeen**
[sevən'tiːn] 95

siebzig . . . . **seventy** ['sevəntɪ] 95

singen . . . . **to sing** [tu sɪŋ] 48

sitzen . . . . **to sit** [tu sɪt] 28

so . . . . **so** [səʊ] 12

Sofa . . . . **couch** [kaʊtʃ] 22

Sohn . . . . **son** [sʌn] 11

Sommer . . . . **summer** ['sʌmə] 80

sondern . . . . **but** [bʌt] 60

Sonne . . . . **sun** [sʌn] 63

Sonnenmilch . . . . . **suntan lotion**
['sʌntæn 'ləʊʃən] 65

Sonntag . . . . **Sunday** ['sʌndɪ] 52

Spagetti . . . . **spaghetti**
[spə'getɪ] 40

spazieren gehen . . **to go for a walk**
[tu gəʊ fɔː ə wɔːk] 52

Spiel . . . . **game** [geɪm] 29

spielen . . . . **to play** [tu pleɪ] 16

Spielsachen . . . . . **toys** [tɔɪz] 26

springen . . . . **to jump** [tu dʒʌmp] . . . 16

Spritze . . . . **syringe** [sɪ'rɪndʒ] 31

Stadt . . . . **town** [taʊn] 54

Stall . . . . **stable** ['steɪbl] 59

stattdessen . . . . . . **instead** [ɪn'sted] 60

stecken . . . . **to put** [tu pʊt] 41

stehen . . . . **to stand** [tu stænd] . . . 56

Stein . . . . **stone** [stəʊn] 91

Stern . . . . **star** [staː] 85

Strand . . . . **beach** [biːtʃ] 64

Straße . . . . **road** [rəʊd] 54

Streifen . . . . **stripe** [straɪp] 69

streiten . . . . **to fight** [tu faɪt] 12

Strumpf . . . . **sock** [sɒk] 18

Stuhl . . . . **chair** [tʃeə] 22

Stunde . . . . **hour** [aʊə] 72

Stundenzeiger . . . **hour hand**
[aʊə hænd] 72

stumpf . . . . **blunt** [blʌnt] 36

stürmisch . . . . **stormy** ['stɔːmɪ] 20

etwas suchen . . . . **to look
for something**
[tu lʊk
fɔː 'sʌmθɪŋ] 83

105

Supermarkt . . . . . . **supermarket**
['su:pəma:kɪt] 45
süß . . . . **sweet** [swi:t] 91
Süßigkeiten . . . . . . **sweets** [swi:tz] 39

T

Tafel . . . . **blackboard**
['blækbɔ:d] 46
Tag . . . . **day** [deɪ] 36
Tante . . . . **aunt** [a:nt] 11
tanzen . . . . **to dance** [tu da:ns] . . . 37
Tasche . . . . **bag** [bæg] 65
Tasse . . . . **cup** [kʌp] 39
Teddybär . . . . **teddy bear**
['tedɪ beə] 26
Tee . . . . **tea** [ti:] 86
Telefon . . . . **telephone**
['telɪfəʊn] 26
Telefonzelle . . . . . **telephone box**
['telɪfəʊn bɒks] 57
Teller . . . . **plate** [pleɪt] 38
Tennis spielen . . . **to play tennis**
[tu pleɪ 'tenɪs] 37
Tennisschläger . . . **tennis racket**
['tenɪs 'rækɪt] 34
Teppich . . . . **rug** [rʌg] 22
Tier . . . . **animal** ['ænɪməl] 66
Tierarzt,
Tierärztin . . . . **vet** [vet] 30
Tiger . . . . **tiger** ['taɪgə] 66
Tisch . . . . **table** ['teɪbl] 22
den Tisch
decken . . . . **to set the table**
[tu set ðə 'teɪbl] 40
Tochter . . . . **daughter** ['dɔ:tə] 11
Tomate . . . . **tomato** [tə'ma:təʊ] . . . 43
Topf . . . . **pot** [pɒt] 22
tragen . . . . **to wear** [tu weə] 20
Traktor . . . . **tractor** ['træktə] 58
traurig . . . . **sad** [sæd] 28
(sich) treffen . . . . . **to meet** [tu mi:t] 72
trinken . . . . **to drink** [tu drɪŋk] 38

trocken . . . . **dry** [draɪ] 20
jemanden
trösten . . . . **to comfort**
somebody
[tu 'kʌmfət
'sʌmbədɪ] 28
T-Shirt . . . . **T-shirt** ['ti: ʃɜ:t] 18
Tür . . . . **door** [dɔ:] 23
Turnschuhe . . . . . . **trainers** ['treɪnəz] 20

U

üben . . . . **to practise**
[tu 'præktɪs] 36
über . . . . **over, across,**
above
['əʊvə, ə'krɒs,
ə'bʌv] 60, 64, 64
überqueren . . . . . . **to cross** [tu krɒs] 56
Uhr . . . . **clock** [klɒk] 26
Uhrzeit, Zeit . . . . . **time** [taɪm] 72
unbekannt . . . . **unknown** [ʌn'nəʊn] . . . 64
und . . . . **and** [ænd] 10
Unfall . . . . **accident** ['æksɪdənt] . . 55
unser, unsere . . . . our ['aʊə] 21
unter . . . . **under** ['ʌndə] 24
Urlaub machen . . . **to spend**
one's holidays
[tu spend wʌnz
'hɒlədeɪz] 65

V

Vater . . . . **father** ['fa:ðə] 10
Verb . . . . **verb** [vɜ:b] 86
vergessen . . . . **to forget**
[tu fə'get] 44
Verkehrsschild . . . **traffic sign**
['træfɪk saɪn] 55
sich verkleiden . . . **to dress up**
[tu dres ʌp] 82
(sich) verletzen . . . **to injure** [tu 'ɪndʒə] . . . 32
verlieren . . . . **to lose** [tu lu:z] 45
verstecken . . . . . . **to hide** [tu haɪd] 83

106

viel, viele . . . . **much, many**
[mʌtʃ, 'menɪ] 44, 48

vier . . . . **four** [fɔ:] 72

vier Uhr . . . . **four o'clock**
[fɔ: ə'klɒk] 73

Viertel nach . . . . . . **quarter past**
['kwɔ:tə pɑ:st] 73

Viertel vor . . . . **quarter to**
['kwɔ:tə tu] 73

vierzehn . . . . **fourteen** [fɔ:'ti:n] 94

vierzig . . . . **forty** ['fɔ:tɪ] 95

violett . . . . **violet** ['vaɪələt] 92

Vogel . . . . **bird** [bɜ:d] 30

von . . . . **from** [frɒm] 81

vor . . . . **in front of**
[ɪn frʌnt ɒv] 24

vorbeifahren,
vorbeigehen . . . . . **to pass** [tu pɑ:s] 56

vormittags
(Uhrzeit) . . . . **a.m.** [eɪ em] 72

vorschlagen . . . . . **to suggest**
[tu sə'dʒest] 36

Sei vorsichtig! . . . . **Be careful!**
[bi: 'keəfəl] 64

W

Waggon . . . . **wagon** ['wægən] 50

Wal . . . . **whale** [weɪl] 63

warm . . . . **warm** [wɔ:m] 20

warten . . . . **to wait** [tu weɪt] 48

warum . . . . **why** [waɪ] 28

was . . . . **what** [wɒt] 16

waschen . . . . **to wash** [tu wɒʃ] 88

Wasser . . . . **water** ['wɔ:tə] 45

wegen . . . . **because of**
[bɪ'kɒz ɒv] 44

wehtun . . . . **to hurt** [tu hɜ:t] 16

weich . . . . **soft** [sɒft] 32

Weihnachten . . . . . **Christmas** ['krɪsməs] . . 84

Weihnachts-
baum . . . . **Christmas tree**
['krɪsməs tri:] 84

Weihnachts-
mann . . . . **Santa Clause**
['sæntə 'klɔ:z] 74

weil . . . . **because** [bɪ'kɒz] 12

weinen . . . . **to cry** [tu kraɪ] 12

weiß . . . . **white** [waɪt] 92

Weizen . . . . **wheat** [wi:t] 61

welcher, welche,
welches . . . . **which** [wɪtʃ] 78

wenn . . . . **if, when**
[ɪf, wen] 40, 48

wer . . . . **who** [hu:] 13

wie . . . . **how** [haʊ] 12

wieder . . . . **again** [ə'gen] 20

Wie geht es dir? . . **How are you?**
[haʊ ɑ: ju:] 17

Wie schade! . . . . . **What a pity!**
[wɒt ə 'pɪtɪ] 16

Wiese . . . . **meadow** ['medəʊ] 58

Wie spät
ist es? . . . . **What time is it?**
[wɒt taɪm ɪz ɪt] 71

wie viel . . . . **how much**
[haʊ mʌtʃ] 66

wild . . . . **wild** [waɪld] 66

Winter . . . . **winter** ['wɪntə] 81

wir . . . . **we** [wi:] 52

wirklich . . . . **really** ['rɪəlɪ] 24

wissen . . . . **to know** [tu nəʊ] 57

wo . . . . **where** [weə] 21

Woche . . . . **week** [wi:k] 78

Wochentag . . . . . . **weekday**
['wi:kdeɪ] 78

Wohnzimmer . . . . . **living room**
['lɪvɪŋ ru:m] 24

etwas
tun wollen . . . . . . **to want**
to do something
[tu wɒnt
tu du: 'sʌmθɪŋ] 12

würfeln . . . . **to play dice**
[tu pleɪ daɪs] 29

Wurm . . . . **worm** [wɜːm] 59

Wurst . . . . **sausage** ['sɒsɪdʒ] 38

wütend . . . . **angry, angrily**
['æŋgrɪ, 'æŋgrɪlɪ] 12

X, Y, Z

Zahl . . . . **number** ['nʌmbə] 94

zählen . . . . **to count** [tu kaʊnt] . . . 86

Zahn . . . . **tooth** [tuːθ] 14

Zähne . . . . **teeth** [tiːθ] 14

Zauberer . . . . **wizard** ['wɪzəd] 82

Zaun . . . . **fence** [fens] 58

Zebra . . . . **zebra** ['zebrə] 67

Zebrastreifen . . . . **zebra crossing**
['zebrə 'krɒsɪŋ] 55

zehn . . . . **ten** [ten] 53

zehn Uhr . . . . **ten o'clock**
[ten ə'klɒk] 53

zeigen . . . . **to show** [tu ʃəʊ] 87

Zeit . . . . **time** [taɪm] 72

Zeitschrift . . . . **magazine**
[mægə'ziːn] 35

Zeitung . . . . **newspaper**
[njuːz'peɪpə] 86

Zimmer . . . . **room** [ruːm] 82

Zirkus . . . . **circus** ['sɜːkəs] 69

zittern . . . . **to tremble**
[tu 'trembl] 32

Zoo . . . . **zoo** [zuː] 68

zuerst . . . . **first** [fɜːst] 56

Zug . . . . **train** [treɪn] 50

Zugbegleiter . . . . . **train conductor**
[treɪn kɒn'dʌktə] 50

Zuhause . . . . **home** [həʊm] 22

zuhören . . . . **to listen** [tu 'lɪsən] 87

zum, zur . . . . **to the** [tu ðə] 44

zusammen . . . . . . **together** [tə'geðə] 29

zwanzig . . . . **twenty** ['twentɪ] 95

zwei . . . . **two** [tuː] 12

zwei Uhr . . . . **two o'clock**
[tuː ə'klɒk] 73

Zwillinge . . . . **twins** [twɪnz] 10

zwölf . . . . **twelve** [twelv] 72

zwölf Uhr . . . . **twelve o'clock**
[twelv ə'klɒk] 73

Vocabulary / **Vokabelverzeichnis**

Englisch – Deutsch

A

a, an [ə, æn] . . . . ein, eine 24, 52

to accompany
somebody
[tu əˈkʌmpənɪ
ˈsʌmbədɪ] . . . . jemanden
begleiten 84

accident
[ˈæksɪdənt] . . . . der Unfall 55

aeroplane
[ˈeərəpleɪn] . . . . das Flugzeug . . . 51

after [ˈɑːftə] . . . . nach 60

afternoon
[ɑːftəˈnuːn] . . . . der
Nachmittag 76

in the afternoon
[ɪn ðiː ɑːftəˈnuːn] . . . . . . nachmittags 72

again [əˈgen] . . . . wieder 20

all [ɔːl] . . . . alle 80

alphabet [ˈælfabet] . . . . das Alphabet 93

already [ɔːlˈredɪ] . . . . . . schon 48

also [ˈɔːlsəʊ] . . . . auch 69

always [ˈɔːlweɪz] . . . . . . immer 44

a.m. [eɪ em] . . . . (Uhrzeit) morgens,
vormittags 72

and [ænd] . . . . und 10

angel [ˈeɪndʒəl] . . . . der Engel 84

angry, angrily
[ˈæŋgrɪ, ˈæŋgrɪlɪ] . . . . . . wütend 12

animal [ˈænɪməl] . . . . . . das Tier 66

to answer
[tu ˈɑːnsə] . . . . antworten 86

ant [ænt] . . . . die Ameise 90

apple [ˈæpl] . . . . der Apfel 44

April [ˈeɪprəl] . . . . April 79

aquarium
[əˈkweərɪəm] . . . . das Aquarium . . . 33

arm [ɑːm] . . . . der Arm 14

to ask (questions)
[tu ɑːsk] . . . . Fragen stellen,
fragen 86

at [æt] . . . . an (Ostern) 83

August [ˈɔːgəst] . . . . . . August 79

aunt [ɑːnt] . . . . die Tante 11

autumn [ˈɔːtəm] . . . . . . der Herbst 81

B

baby [ˈbeɪbɪ] . . . . das Baby 10

bag [bæg] . . . . die Tasche 65

to bake [tu beɪk] . . . . . . backen 82

bakery [ˈbeɪkərɪ] . . . . . die Bäckerei 42

ball [bɔːl] . . . . der Ball 26

balloon [bəˈluːn] . . . . . . der Luftballon . . . 82

banana [bəˈnɑːnə] . . . . . die Banane 44

bathroom
[ˈbɑːθruːm] . . . . das
Badezimmer 25

to be [tu biː] . . . . sein 12

to be afraid
[tu biː əˈfreɪd] . . . . sich fürchten 32

to be bored
[tu biː bɔːd] . . . . sich langweilen . . 36

beach [biːtʃ] . . . . der Strand 64

bear [beə] . . . . der Bär 66

because [bɪˈkɒz] . . . . . . denn, weil 12, 32

because of
[bɪˈkɒz ɒv] . . . . wegen 44

bed [bed] . . . . das Bett 15

bedroom [ˈbedruːm] . . . das
Schlafzimmer . . . 24

behind [bɪˈhaɪnd] . . . . . hinter 24

to believe [tu bɪˈliːv] . . . glauben 16

belly [ˈbelɪ] . . . . der Bauch 15

bellyache [ˈbelɪeɪk] . . . . das Bauchweh . . 17

berry [ˈberɪ] . . . . die Beere 91

beside [bɪˈsaɪd] . . . . neben 56

best [best] . . . . bester, beste,
bestes 13

109

bicycle ['baɪsɪkl] ...... das Fahrrad 26

big [bɪg] .... groß 32

bird [bɜːd] .... der Vogel 30

birthday ['bɜːθdeɪ] .... der
Geburtstag 78

biscuit ['bɪskɪt] ...... der Keks 87

black [blæk] .... schwarz 91

blackboard
['blækbɔːd] .... die Tafel 46

Bless you! [bles juː] ... Gesundheit! 16

to blossom
[tu 'blɒsəm] .... blühen 80

blue [bluː] .... blau 20

blunt [blʌnt] .... stumpf 36

board game
[bɔːd geɪm] .... das Brettspiel ... 34

body ['bɒdɪ] .... der Körper 14

book [bʊk] .... das Buch 34

bottle ['bɒtl] .... die Flasche 45

bowl [bəʊl] .... die Schüssel ... 22

boy [bɔɪ] .... der Junge 10

brave [breɪv] .... mutig 68

bread [bred] .... das Brot 38

to break [tu breɪk] ..... kaputtmachen ... 29

breakfast ['brekfəst] ... das Frühstück ... 75

to bring [tu brɪŋ] ...... bringen 32

broken ['brəʊkən] ..... kaputt 36

broom [bruːm] .... der Besen 91

brother ['brʌðə] ...... der Bruder 12

brown [braʊn] .... braun 92

brush [brʌʃ] .... der Pinsel 83

to brush [tu brʌʃ] .... bürsten 86

bunch of flowers
[bʌnʃ ɒv 'flaʊəz] ...... der
Blumenstrauß ... 82

bus [bʌs] .... der Bus 53

bus stop [bʌs stɒp] .... die
Bushaltestelle ... 57

bush [bʊʃ] .... der Busch 58

but [bʌt] .... aber 12

but [bʌt] .... sondern 60

butcher ['bʊtʃə] ...... der Metzger 42

butcher's ['bʊtʃəz] ..... die Metzgerei ... 42

butter ['bʌtə] .... die Butter 40

butterfly ['bʌtəflaɪ] .... der
Schmetterling ... 66

to buy [tu baɪ] .... kaufen 86

C

cage [keɪdʒ] .... der Käfig 30

cake [keɪk] .... der Kuchen 41

camera ['kæmərə] ..... der
Fotoapparat 11

can [kæn] .... können 16

candle ['kændl] ...... die Kerze 82

cap [kæp] .... die Mütze 19

car [kɑː] .... das Auto 29

Be careful!
[bi 'keəfəl] .... Sei vorsichtig! ... 64

carrot ['kærət] .... die Karotte 33

cash desk [kæʃ desk] .. die Kasse 45

cat [kæt] .... die Katze 26

cat food [kæt fuːd] .... das
Katzenfutter 33

CD [siːˈdiː] .... die CD 35

CD player
[siːˈdiː 'pleɪə] .... der CD-Player ... 34

to celebrate
[tu 'seləbreɪt] .... feiern 82

certainly ['sɜːtənlɪ] .... sicherlich 56

chair [tʃeə] .... der Stuhl 22

chalk [tʃɔːk] .... die Kreide 49

to chatter [tu 'tʃætə] ... plappern 68

cheese [tʃiːz] .... der Käse 38

chick [tʃɪk] .... das Küken 83

chicken ['tʃɪkɪn] ...... das Huhn,
die Hühner 59

child [tʃaɪld] .... das Kind 12

children ['tʃɪldrən] ..... die Kinder 12

chips [tʃɪps] .... die
Pommes frites ... 41

chocolate ['tʃɒkələt] ... die
Schokolade 41

Christmas ['krɪsməs] ... Weihnachten 84

Christmas tree ['krɪsməs triː] .... der Weihnachts-baum 84

church [tʃɜːtʃ] .... die Kirche 56

cinema ['sɪnəmə] ...... das Kino 57

circus ['sɜːkəs] .... der Zirkus 69

to claim something [tu kleɪm 'sʌmθɪŋ] ..... etwas behaupten 16

to clap [tu klæp] ...... klatschen 16

classroom ['klɑːsruːm] .... das Klassen-zimmer 49

to climb [tu klaɪm] .... klettern 68

clock [klɒk] .... die Uhr 26

to close [tu kləʊz] ..... schließen 86

clothes [kləʊðz] .... die Kleidung 18

coat [kəʊt] .... der Mantel 18

cold [kəʊld] .... kalt 90

to collect [tu kə'lekt] .... sammeln 37

Cologne [kə'ləʊn] ..... Köln 86

colour ['kʌlə] .... die Farbe 92

coloured pencil ['kʌləd 'pensəl] .... der Buntstift 35

colourful ['kʌləfəl] ..... bunt 68

to come (from) [tu kʌm frɒm] .... kommen (aus) ... 13

to come with somebody [tu kʌm wɪθ 'sʌmbədɪ] .... mit jemandem mitkommen 44

to comfort somebody [tu 'kʌmfət 'sʌmbədɪ] .... jemanden trösten 28

computer [kəm'pjuːtə] .... der Computer ... 34

corn [kɔːn] .... der Mais 61

to cost [tu kɒst] ...... kosten 44

couch [kaʊtʃ] .... das Sofa 22

to count [tu kaʊnt] .... zählen 86

cow [kaʊ] .... die Kuh 58

crab [kræb] .... der Krebs 63

to crawl [tu krɔːl] ...... kriechen 68

to creep [tu kriːp] .... schleichen 68

croissant ['krwʌsɒn] ... das Hörnchen ... 43

to cross [tu krɒs] ..... überqueren 56

crossroads ['krɒsrəʊdz] .... die Kreuzung 55

to cry [tu kraɪ] .... weinen 12

cucumber ['kjuːkʌmbə] .... die Gurke 90

cup [kʌp] .... die Tasse 39

cupboard ['kʌbəd] ..... der Schrank 22

cushion ['kʊʃən] ..... das Kissen 22

D

Dad [dæd] .... Papa 36

to dance [tu dɑːns] .... tanzen 37

daughter ['dɔːtə] ...... die Tochter 11

day [deɪ] .... der Tag 36

December [dɪ'sembə] .... Dezember 79

to decorate [tu 'dekəreɪt] .... schmücken 82

digger ['dɪgə] .... der Bagger 26

dinner ['dɪnə] .... das Abendessen 77

dirty ['dɜːtɪ] .... schmutzig 20

to do, to make [tu duː, tu meɪk] ..... machen, tun .. 36, 52

doctor ['dɒktə] .... der Arzt 16

dog [dɒg] .... der Hund 30

dog collar [dɒg 'kɒlə] .... das Hunde-halsband 32

dog kennel [dɒg 'kenəl] .... die Hundehütte .. 60

dog lead [dɒg liːd] .... die Hundeleine 32

doll [dɒl] .... die Puppe 27

doll's pram
['dɒlz præm] . . . . der
Puppenwagen . . . 26

dolphin ['dɒlfɪn] . . . . . . der Delfin 62

door [dɔ:] . . . . die Tür 23

to draw [tu drɔ:] . . . . . . malen 86

dress [dres] . . . . das Kleid 18

to dress up
[tu dres ʌp] . . . . sich verkleiden . . 82

to drink [tu drɪŋk] . . . . . trinken 38

to drive [tu draɪv] . . . . . fahren 56

to drive up
[tu draɪv ʌp] . . . . heranfahren 56

dry [draɪ] . . . . trocken 20

E

ear [ɪə] . . . . das Ohr 14

Easter ['i:stə] . . . . Ostern 83

Easter Bunny
['i:stə 'bʌnɪ] . . . . der Osterhase . . . 83

to eat [tu i:t] . . . . essen,
fressen 33, 60

egg [eg] . . . . das Ei 39

eight [eɪt] . . . . acht 72

eight o'clock
[eɪt ə'klɒk] . . . . acht Uhr 73

eighteen [eɪ'ti:n] . . . . . . achtzehn 95

eighty ['eɪtɪ] . . . . achtzig 95

elephant ['elɪfənt] . . . . . der Elefant 66

eleven [ɪ'levən] . . . . elf 72

eleven o'clock
[ɪ'levən ə'klɒk] . . . . elf Uhr 73

England ['ɪŋglənd] . . . . England 84

enough [ɪ'nʌf] . . . . genug 45

evening ['i:vnɪŋ] . . . . . . der Abend 76

every ['evrɪ] . . . . jeder, jede,
jedes 52

excursion
[ɪk'skɜ:ʃən] . . . . der Ausflug 52

Excuse me!
[ɪk'skju:z mi:] . . . . Entschuldigung! 56

exercise book
['eksəsaɪz bʊk] . . . . das Schulheft . . . 46

to explore
[tu ɪk'splɔ:] . . . . erkunden 64

eye [aɪ] . . . . das Auge 11

F

face [feɪs] . . . . das Gesicht 14

family ['fæməlɪ] . . . . die Familie 10

to fall [tu fɔ:l] . . . . fallen 28

farm [fɑ:m] . . . . der Bauernhof . . . 58

farmer ['fɑ:mə] . . . . der Bauer 61

fast [fɑ:st] . . . . schnell 16

fat [fæt] . . . . dick 64

father ['fɑ:ðə] . . . . der Vater 10

favourite cake
['feɪvərɪt keɪk] . . . . der Lieblings-
kuchen 41

favourite dish
['feɪvərɪt dɪʃ] . . . . das Lieblingsessen 40

favourite game
['feɪvərɪt geɪm] . . . . das
Lieblingsspiel . . . 37

February ['februərɪ] . . . . Februar 79

to feed [tu fi:d] . . . . füttern 60

feeding bowl
[fi:dɪŋ bəʊl] . . . . der Futternapf . . . 31

feet [fi:t] . . . . die Füße 14

fence [fens] . . . . der Zaun 58

fifteen [fɪf'ti:n] . . . . fünfzehn 95

fifty [fɪftɪ] . . . . fünfzig 95

to fight [tu faɪt] . . . . streiten 12

finally ['faɪnəlɪ] . . . . endlich 20

to find [tu faɪnd] . . . . . . finden 21

first [fɜ:st] . . . . zuerst 56

five [faɪv] . . . . fünf 44

five o'clock
[faɪv ə'klɒk] . . . . fünf Uhr 73

flashing blue light
['flæʃɪŋ blu: laɪt] . . . . das Blaulicht 54

flower ['flaʊə] . . . . die Blume 66

flute [fluːt] . . . . die Flöte 34

to fly [tu flaɪ] . . . . fliegen 53

foot [fʊt] . . . . der Fuß 14

football [ˈfʊtbɔːl] . . . . . . der Fußball,

das

Fußballspiel . . 34, 36

to forget [tu fəˈget] . . . . vergessen 44

fork [fɔːk] . . . . die Gabel 38

forty [ˈfɔːtɪ] . . . . vierzig 95

fountain pen

[ˈfaʊntɪn pen] . . . . der Füller 49

four [fɔː] . . . . vier 72

four o'clock

[fɔː əˈklɒk] . . . . vier Uhr 73

fourteen [fɔːˈtiːn] . . . . . vierzehn 94

Friday [ˈfraɪdɪ] . . . . Freitag 78

friend [frend] . . . . der Freund,

die Freundin 13

from [frɒm] . . . . von 81

fruit [fruːt] . . . . das Obst 45

fur [fɜː] . . . . das Fell 30

G

game [geɪm] . . . . das Spiel 29

Gameboy [geɪm bɔɪ] . . der Gameboy . . . 28

garden [ˈgaːdən] . . . . . . der Garten 83

geese [giːs] . . . . die Gänse 59

Germany

[ˈdʒɜːmənɪ] . . . . Deutschland 13

to get up [tu get ʌp] . . . aufstehen 86

gingerbread

[ˈdʒɪndʒərbred] . . . . der Lebkuchen . . 84

giraffe [dʒɪˈraːf] . . . . . . die Giraffe 67

girl [gɜːl] . . . . das Mädchen . . . 10

to give [tu gɪv] . . . . geben 28

glass [glaːs] . . . . das Glas 39

glasses [glaːsɪz] . . . . . . die Brille 20

glove [glʌv] . . . . der Handschuh . . 19

to go [tu gəʊ] . . . . gehen 16

to go by (bus, train)

[tu gəʊ baɪ] . . . . (Bus, Zug, etc.)

fahren 87

to go for a walk

[tu gəʊ fɔːr ə wɔːk] . . . . spazieren

gehen 52

to go out

[tu gəʊ aʊt] . . . . rausgehen 36

to go riding

[tu gəʊ ˈraɪdɪŋ] . . . . reiten gehen 78

to go shopping

[tu gəʊ ˈʃɒpɪŋ] . . . . einkaufen 42

to go to bed

[tu gəʊ tu bed] . . . . ins Bett gehen . . . 77

goldfish

[ˈgəʊldfɪʃ] . . . . der Goldfisch 33

Good morning!

[gʊd ˈmɔːnɪŋ] . . . . Guten Morgen! . . 44

good, fine, nice

[gʊd, faɪn, naɪs] . . . . gut 12, 17, 44

goose [guːs] . . . . die Gans 59

grandfather

[ˈgrændfaːðə] . . . . der Großvater . . . 10

grandmother

[ˈgrændmʌðə] . . . . die

Großmutter 10

green [griːn] . . . . grün 92

grey [greɪ] . . . . grau 92

to growl [tu graʊl] . . . . brummen 68

guitar [gɪˈtaː] . . . . die Gitarre 46

H

hair [heə] . . . . die Haare 15

half past [haːf paːst] . . . halb (Uhrzeit) . . . 32

hamster [ˈhæmstə] . . . . der Hamster 31

hand [hænd] . . . . die Hand 14

Happy birthday!

[ˈhæpɪ ˈbɜːθdeɪ] . . . . Herzlichen Glück-

wunsch zum

Geburtstag! 82

Happy Easter!

[ˈhæpi ˈiːstə] . . . . Frohe Ostern! . . . 83

hard [haːd] . . . . hart 90

to harvest

[tu ˈhaːvɪst] . . . . ernten 61

he [hiː] . . . . er 16

to hatch out
[tu hætʃ aʊt] . . . . ausschlüpfen 83

to have [tu hæv] . . . . . . haben 12

to have a party
[tu hæv ə 'paːtɪ] . . . . eine Party
feiern 82

to have a shower
[tu hæv ə 'ʃaʊə] . . . . . . duschen 25

to have breakfast
[tu hæv 'brekfəst] . . . . . . frühstücken 75

to have
to do something
[tu hæv
tu duː 'sʌmθɪŋ] . . . . etwas
tun müssen 16

head [hed] . . . . der Kopf 14

heavy ['hevɪ] . . . . schwer 48

to help [tu help] . . . . . helfen 29

her [hə] . . . . ihr, ihre 12

here [hɪə] . . . . hier 57

to hide [tu haɪd] . . . . . verstecken 83

high [haɪ] . . . . hoch 64

his [hɪz] . . . . sein, seine 20

hobby ['hɒbɪ] . . . . das Hobby 36

home [həʊm] . . . . das Zuhause 22

homework
['həʊmwɜːk] . . . . die Hausaufgaben 86

horse [hɔːs] . . . . das Pferd 30

hot [hɒt] . . . . heiß 80

hour [aʊə] . . . . die Stunde 72

hour hand
[aʊə hænd] . . . . der Stundenzeiger 72

house [haʊs] . . . . das Haus 19

how [haʊ] . . . . wie 12

How are you?
[haʊ aː juː] . . . . Wie geht
es dir? 17

how much [haʊ mʌtʃ] . . wie viel 44

hundred ['hʌndrəd] . . . . hundert 95

to hurry [tu 'hʌrɪ] . . . . . sich beeilen 52

to hurt [tu hɜːt] . . . . wehtun 16

I

I, me [aɪ, miː] . . . . ich 10, 12

I'm sorry! [aɪm 'sɒrɪ] . . . Entschuldige! . . . 29

ice cream [aɪs kriːm] . . . das Eis 41

if, when [ɪf, wen] . . . . . wenn 40, 48

ill [ɪl] . . . . krank 16

in [ɪn] . . . . in 13

in front of
[ɪn frʌnt ɒv] . . . . vor 24

in the [ɪn ðə] . . . . im 49

in the afternoon
[ɪn ðiː aːftə'nuːn] . . . . . nachmittags 76

in the evening
[ɪn ðə 'iːvnɪŋ] . . . . abends 76

in the morning
[ɪn ðə 'mɔːnɪŋ] . . . . morgens 48

to injure [tu 'ɪndʒə] . . . . (sich)
verletzen 32

inline skates
['ɪnlaɪn skeɪtz] . . . . die
Inlineskates 34

inside [ɪn'saɪd] . . . . drinnen 48

instead [ɪn'sted] . . . . . . stattdessen 60

island ['aɪlənd] . . . . die Insel 62

it [ɪt] . . . . es 20

J

jacket ['dʒækɪt] . . . . die Jacke 19

January ['dʒænjuərɪ] . . . Januar 79

jeans [dʒiːnz] . . . . die Jeans 20

jelly bears
['dʒelɪ beəz] . . . . die Gummibärchen 40

jellyfish ['dʒelɪfɪʃ] . . . . . die Qualle 64

journey ['dʒɜːnɪ] . . . . . . die Reise 53

juice [dʒuːs] . . . . der Saft 87

July ['dʒuː'laɪ] . . . . Juli 79

to jump [tu dʒʌmp] . . . . springen 16

June [dʒuːn] . . . . Juni 79

114

jungle ['dʒʌŋgl] . . . . der Dschungel . . . 67

K

kilo ['ki:ləʊ] . . . . das Kilo 44

kitchen ['kɪtʃɪn] . . . . die Küche 25

knife [naɪf] . . . . das Messer 38

to know [tu nəʊ] . . . . . wissen 57

L

to land [tu lænd] . . . . . . landen 28

to laugh [tu lɑːf] . . . . . lachen 87

to lay [tu leɪ] . . . . legen 60

leaf [liːf] . . . . das Blatt 81

to leave [tu liːv] . . . . . . abfahren 52

leaves [liːvz] . . . . die Blätter 81

left [left] . . . . links 56

leg [leg] . . . . das Bein 15

leisure time

['leʒə taɪm] . . . . die Freizeit 34

to let somebody

do something

[tu let 'sʌmbədɪ

duː 'sʌmθɪŋ] . . . . jemanden etwas

tun lassen 28

letter ['letə] . . . . der Brief 88

lettuce ['letɪs] . . . . der Salat 43

to lie [tu laɪ] . . . . liegen 24

light [laɪt] . . . . leicht 91

to like [tu laɪk] . . . . mögen 33

to like

doing something

[tu laɪk

'duːɪŋ 'sʌmθɪŋ] . . . . etwas

gerne tun 20

lion ['laɪən] . . . . der Löwe 67

to listen [tu 'lɪsən] . . . . . zuhören 87

to listen to music

[tu 'lɪsən tu 'mjuːzɪk] . . . Musik hören . . . 37

to live [tu lɪv] . . . . leben 13

living room

['lɪvɪŋ ruːm] . . . . das Wohn-

zimmer 24

locomotive

[ləʊkə'məʊtɪv] . . . . die Lok 51

long [lɒŋ] . . . . lang 91

to look [tu lʊk] . . . . schauen,

aussehen 12

to look at something

[tu lʊk æt 'sʌmθɪŋ] . . . . . etwas anschauen,

betrachten 87

to look for something

[tu lʊk fɔː 'sʌmθɪŋ] . . . . . etwas suchen . . . 83

to look forward to

[tu lʊk 'fɔːwəd tu] . . . . . . sich auf etwas

freuen 48

to lose [tu luːz] . . . . verlieren 45

luckily ['lʌkɪlɪ] . . . . glücklicher-

weise 52

lunch [lʌnʃ] . . . . das

Mittagessen 75

M

magazine

[mægə'ziːn] . . . . die Zeitschrift 35

to make a jigsaw

[tu meɪk ə 'dʒɪgsɔː] . . . . ein Puzzle

machen 29

man [mæn] . . . . der Mann 50

manure heap

[mə'njʊə hiːp] . . . . der Misthaufen . . 59

March [mɑːtʃ] . . . . März 79

market ['mɑːkɪt] . . . . . . der Markt 44

May [meɪ] . . . . Mai 79

meadow ['medəʊ] . . . . . die Wiese 58

meat [miːt] . . . . das Fleisch 42

to meet [tu miːt] . . . . . . (sich) treffen 72

men [men] . . . . Männer 52

to meow [tu miː'aʊ] . . . . miauen 60

Merry Christmas!

['merɪ 'krɪsməs] . . . . Frohe

Weihnachten! . . . 84

mice [maɪs] . . . . die Mäuse 31

milk [mɪlk] . . . . die Milch 38

to milk [tu mɪlk] . . . . . . melken 61

115

minute ['mɪnɪt] .... die Minute 73
minute hand
['mɪnɪt hænd] .... der Minuten-
                       zeiger 72
Monday ['mʌndɪ] ..... Montag 78
money ['mʌnɪ] .... das Geld ʌ.ʌ.ʌ 45
monkey ['mʌŋkɪ] ..... der Affe ʌ.ʌ.ʌ 66
month [mʌnθ] .... der Monat 79
moon [muːn] .... der Mond 88
morning ['mɔːnɪŋ] ..... der Morgen 44
mosquito [məˈskiːtəʊ] .. die Mücke 67
mostly ['məʊstlɪ] ...... meistens 24
mother ['mʌðə] .... die Mutter 10
motorbike
['məʊtər baɪk] .... das Motorrad 54
mouse [maʊs] .... die Maus 31
mouth [maʊθ] .... der Mund 14
much, many
[mʌtʃ, 'menɪ] .... viel, viele 44, 48
Mum [mʌm] .... Mama 16
music ['mjuːzɪk] .... die Musik 37
my [maɪ] .... mein, meine 10

N

napkin ['næpkɪn] ...... die Serviette 38
to need [tu niːd] ..... brauchen 33
nest [nest] .... das Nest 83
new [njuː] .... neu 21
newspaper
['njuːzˈpeɪpə] .... die Zeitung 86
night [naɪt] .... die Nacht 88
nine [naɪn] .... neun 72
nine o'clock
[naɪn əˈklɒk] ..... neun Uhr 73
nineteen [naɪnˈtiːn] .... neunzehn 95
ninety ['naɪntɪ] .... neunzig 95
no [nəʊ] .... nein 12
normally ['nɔːməlɪ] .... normalerweise .. 24
nose [nəʊz] .... die Nase 14
not [nɒt] .... nicht 16
November
[nəʊˈvembə] .... November 79

number ['nʌmbə] ...... die Zahl 94

O

October [ɒkˈtəʊbə] .... Oktober 79
old [əʊld] .... alt ʌʌʌʌ 12
on [ɒn] .... auf 24
one [wʌn] .... eins 12
one o'clock
[wʌn əˈklɒk] .... ein Uhr 73
to open [tu ˈəʊpən] .... öffnen 87
opposite ['ɒpəzɪt] ..... der Gegensatz .. 89
or [ɔː] .... oder 28
orange ['ɒrɪndʒ] ...... orange 92
our ['aʊə] .... unser, unsere .. 21
over, across, above
['əʊvə, əˈkrɒs, əˈbʌv] .... über 60, 64, 64

P

to paint [tu peɪnt] .... bemalen 83
paint box
[peɪnt bɒks] .... der Malkasten ... 27
paper ['peɪpə] .... das Papier 35
parrot ['pærət] .... der Papagei 67
party ['pɑːtɪ] .... die Party 82
to pass [tu pɑːs] ..... vorbeifahren,
                       vorbeigehen 56
paw [pɔː] .... die Pfote 30
to pay for something
[tu peɪ fɔːr ˈsʌmθɪŋ] .... etwas
                       bezahlen 45
pencil case
['pensəl keɪs] .... das Feder-
                       mäppchen 47
pet [pet] .... das Haustier ... 30
photograph
['fəʊtəɡrɑːf] .... das Foto 87
piano [pɪˈænəʊ] ...... das Klavier 34
picnic ['pɪknɪk] .... das Picknick 52
picture ['pɪktʃə] ...... das Bild 26
pig [pɪɡ] .... das Schwein 60
pillow ['pɪləʊ] .... das Kopfkissen .. 89
pink [pɪŋk] .... pink 91

plate [pleɪt] . . . . der Teller 38

platform ['plætfɔːm] . . . der Bahnsteig . . . 38

to play [tu pleɪ] . . . . spielen 16

to play dice
[tu pleɪ daɪs] . . . . würfeln 29

to play football
[tu pleɪ 'fʊtbɔːl] . . . . Fußball spielen . . 36

to play tennis
[tu pleɪ 'tenɪs] . . . . Tennis spielen . . . 37

to play the piano
[tu pleɪ ðə pɪ'ænəʊ] . . . . Klavier spielen . . 36

please [pliːz] . . . . bitte 28

p.m. [piː em] . . . . (Uhrzeit)
nachmittags,
abends 72

police car [pə'liːs kaː] . . das Polizeiauto . . 54

policeman
[pə'liːs mæn] . . . . der Polizist 54

pony ['pəʊnɪ] . . . . das Pony 58

postcard
['pəʊstkaːd] . . . . die Postkarte 34

pot [pɒt] . . . . der Topf 22

potato [pə'teɪtəʊ] . . . . . die Kartoffel 43

potato peel
[pə'teɪtəʊ piːl] . . . . die Kartoffelschale 60

to pour [tu pɔː] . . . . schütten 40

to practise
[tu 'præktɪs] . . . . üben 36

to prefer [tu prɪ'fɜː] . . . . lieber mögen,
vorziehen 41

present ['prezənt] . . . . . das Geschenk . . . 82

pretzel ['pretsəl] . . . . die Brezel 44

pullover ['pʊləʊvə] . . . . der Pullover 18

purse [pɜːs] . . . . der Geldbeutel . . 45

to put [tu pʊt] . . . . setzen, stellen,
legen 41

to put into
[tu pʊt 'ɪntu] . . . . hineinstecken . . . 20

to put on
[tu pʊt ɒn] . . . . anziehen,
aufziehen 20

pyjamas [pɪ'dʒaːməz] . . der
Schlafanzug 21

Q

quarter past
['kwɔːtə paːst] . . . . Viertel nach 73

quarter to
['kwɔːtə tu] . . . . Viertel vor 73

question ['kwestʃən] . . . die Frage 86

R

rabbit ['ræbɪt] . . . . der Hase 31

to rain [tu reɪn] . . . . regnen 20

raincoat ['reɪnkəʊt] . . . . der
Regenmantel 18

to reach [tu riːtʃ] . . . . . erreichen 64

to read [tu riːd] . . . . lesen 36

really ['rɪəlɪ] . . . . wirklich 24

red [red] . . . . rot 92

refrigerator
[rɪ'frɪdʒəreɪtə] . . . . der
Kühlschrank 23

to ride a sleigh
[tu raɪd ə sleɪ] . . . . Schlitten fahren . . 84

to ride
inline skates
[tu raɪd
'ɪnlaɪn skeɪts] . . . . Inlineskates
fahren 36

to ride roller skates
[tu raɪd 'rəʊlər skeɪts] . . . Rollschuh
fahren 26

to ride the bicycle
[tu raɪd ðə 'baɪsɪkl] . . . . Fahrrad fahren . . 36

right [raɪt] . . . . rechts 56

ripe [raɪp] . . . . reif 61

road [rəʊd] . . . . die Straße 54

rock [rɒk] . . . . der Felsen 90

rocking horse
['rɒkɪŋ hɔːs] . . . . das Schaukelpferd 27

roll [rəʊl] . . . . das Brötchen 38

to roll one's eyes
[tu rəʊl wʌnz aɪz] . . . . . . die Augen
verdrehen 12

roller skate
['rəʊlə skeɪt] . . . . der Rollschuh . . . 26

room [ru:m] . . . . das Zimmer 82

rooster ['ru:stə] . . . . . . der Hahn 59

rubber boots
['rʌbə bu:tz] . . . . die
Gummistiefel 18

rucksack ['rʌksæk] . . . . . der Rucksack . . . 49

rug [rʌg] . . . . der Teppich 22

ruler ['ru:lə] . . . . das Lineal 48

to run [tu rʌn] . . . . laufen, rennen . . . 52

S

sad [sæd] . . . . traurig 28

to sail [tu seɪl] . . . . segeln 64

sand [sænd] . . . . der Sand 62

Santa Clause
['sæntə 'klɔ:z] . . . . der Weihnachtsmann 74

Saturday ['sætədɪ] . . . . . Samstag 78

sausage ['sɒsɪdʒ] . . . . . die Wurst 38

to say [tu seɪ] . . . . sagen 16

scarf [skɑ:f] . . . . der Schal 21

school [sku:l] . . . . die Schule 46

school bag
['sku:l bæg] . . . . die
Schultasche 46

school desk
['sku:l desk] . . . . die Schulbank . . . 46

to scold [tu skəʊld] . . . . schimpfen 12

to screech
[tu skri:tʃ] . . . . kreischen 64

sea [si:] . . . . das Meer 62

sea lion [si: 'laɪən] . . . . . der Seelöwe 62

seagull ['si:gʌl] . . . . die Möwe 62

seal [si:l] . . . . der Seehund 62

at the seaside
[æt ðə 'si:saɪd] . . . . am Meer 62

season ['si:zən] . . . . die Jahreszeit . . . 80

to see [tu si:] . . . . sehen 60

**to send
somebody off**
[tu send
'sʌmbədɪ ɒf] . . . . jemanden
losschicken 44

September
[sep'tembə] . . . . September 79

to set the table
[tu set ðə 'teɪbl] . . . . den Tisch
decken 40

seven ['sevən] . . . . sieben 72

seven o'clock
['sevən ə'klɒk] . . . . sieben Uhr 73

seventeen [sevən'ti:n] . . siebzehn 95

seventh ['sevənθ] . . . . . siebte 78

seventy ['sevəntɪ] . . . . . siebzig 95

she [ʃi:] . . . . sie 24

shell [ʃel] . . . . die Muschel 62

ship [ʃɪp] . . . . das Schiff 62

shirt [ʃɜ:t] . . . . das Hemd 19

shoe [ʃu:] . . . . der Schuh 18

shopping basket
['ʃɒpɪŋ 'bɑ:skɪt] . . . . der Einkaufskorb . 42

shopping list
['ʃɒpɪŋ lɪst] . . . . der Einkaufszettel 42

short [ʃɔ:t] . . . . kurz 91

to show [tu ʃəʊ] . . . . . . zeigen 87

to have a shower
[tu hæv a 'ʃaʊə] . . . . duschen 25

to sing [tu sɪŋ] . . . . singen 48

to sit [tu sɪt] . . . . sitzen 28

sister ['sɪstə] . . . . die Schwester . . . 12

six [sɪks] . . . . sechs 72

six o'clock
[sɪks ə'klɒk] . . . . sechs Uhr 73

sixteen [sɪk'sti:n] . . . . . sechzehn 95

sixty ['sɪkstɪ] . . . . sechzig 95

skirt [skɜ:t] . . . . der Rock 20

sky [skaɪ] . . . . der Himmel 88

to sleep [tu sli:p] . . . . . schlafen 88

sleigh [sleɪ] . . . . der Schlitten 84

to slip into something
[tu slɪp 'ɪntu 'sʌmθɪŋ] . . . in etwas
hineinschlüpfen . . 20

slow [sləʊ] . . . . langsam 90

small [smɔːl] . . . . klein 32

to smear [tu smɪə] . . . . schmieren 40

smell [smel] . . . . der Geruch 44

snake [sneɪk] . . . . die Schlange 66

to sneeze [tu sniːz] . . . . niesen 16

snow [snəʊ] . . . . der Schnee 87

to snow [tu snəʊ] . . . . . schneien 81

so [səʊ] . . . . also, so 12, 36

sock [sɒk] . . . . der Strumpf 18

soft [sɒft] . . . . weich 32

sometimes
['sʌmtaɪmz] . . . . manchmal 24

son [sʌn] . . . . der Sohn 11

song [sɒŋ] . . . . das Lied 87

soon [suːn] . . . . bald 32

I'm sorry! [aɪm 'sɒrɪ] . . . Entschuldige
bitte! 29

sour ['saʊə] . . . . sauer 91

to sow [tu səʊ] . . . . säen 61

spaghetti [spə'getɪ] . . . . die Spagetti 40

to spend one's holidays
[tu spend wʌnz
'hɒlɪdeɪz] . . . . Urlaub machen . . 65

spring [sprɪŋ] . . . . der Frühling 80

stable ['steɪbl] . . . . der Stall 59

to stand [tu stænd] . . . . stehen 56

star [staː] . . . . der Stern 85

starfish ['staːfɪʃ] . . . . . . der Seestern 62

to stay [tu steɪ] . . . . bleiben 16

to stick [tu stɪk] . . . . . . klemmen 40

still [stɪl] . . . . immer noch 20

stone [stəʊn] . . . . der Stein 91

to stop [tu stɒp] . . . . . . anhalten 56

stormy ['stɔːmɪ] . . . . stürmisch 20

story ['stɔːrɪ] . . . . die Geschichte . . 88

stove [stəʊv] . . . . der Herd 22

straight ahead
[streɪt ə'hed] . . . . geradeaus 56

stripe [straɪp] . . . . der Streifen 69

sugar bag
['ʃʊgə bæg] . . . . die Schultüte 47

to suggest
[tu sə'dʒest] . . . . vorschlagen 36

suitcase ['suːtkeɪs] . . . . der Koffer 50

summer ['sʌmə] . . . . . . der Sommer 80

sun [sʌn] . . . . die Sonne 63

suntan lotion
['sʌntæn 'ləʊʃən] . . . . die
Sonnenmilch 65

Sunday ['sʌndɪ] . . . . Sonntag 52

supermarket
['suːpəmaːkɪt] . . . . der Supermarkt . . 45

sweet [swiːt] . . . . süß 90

sweets [swiːts] . . . . die Süßigkeiten . . 39

to swim [tu swɪm] . . . . . schwimmen 64

swimming pool
['swɪmɪŋ puːl] . . . . das
Schwimmbad . . . 56

syringe [sɪ'rɪndʒ] . . . . . . die Spritze 31

T

table ['teɪbl] . . . . der Tisch 22

to take [tu teɪk] . . . . nehmen 40

to take a nap
[tu teɪk ə næp] . . . . ein Nickerchen
machen 76

take-off [teɪk ɒf] . . . . . . der Abflug 53

to take off [tu teɪk ɒf] . . ausziehen 20

to take photographs
[tu teɪk 'fəʊtəgraːfz] . . . . fotografieren 12

**to take somebody
in one's arms**
[tu teɪk 'sʌmbədɪ
ɪn wʌnz aːmz] . . . . jemanden in die Arme
nehmen 28

tea [tiː] . . . . der Tee 86

teacher ['tiːtʃə] . . . . der Lehrer,
die Lehrerin 46

teddy bear
['tedɪ beə] . . . . der Teddybär 26

119

teeth [tiːθ] . . . . die Zähne 14

telephone ['telɪfəʊn] . . . das Telefon 26

telephone box
['telɪfəʊn bɒks] . . . . die
Telefonzelle 57

ten [ten] . . . . zehn 53

ten o'clock
[ten ə'klɒk] . . . . zehn Uhr 53

tennis racket
['tenɪs 'rækɪt] . . . . der Tennisschläger 34

Thanks!, Thank you!
[θæŋkz, θæŋk juː] . . . . . Danke! 17, 28

the [ðə] . . . . der, die, das . . 12, 16

their [ðeə] . . . . ihr, ihre 52

then [ðen] . . . . dann 16

there [ðeə] . . . . da, dort 56

they [ðeɪ] . . . . sie 52

thin [θɪn] . . . . dünn 90

thing [θɪŋ] . . . . die Sache 48

thirteen [θɜː'tiːn] . . . . . dreizehn 94

thirty ['θɜːtɪ] . . . . dreißig 95

three [θriː] . . . . drei 72

three o'clock
[θriː ə'klɒk] . . . . drei Uhr 72

Thursday ['θɜːzdɪ] . . . . . Donnerstag 78

ticket ['tɪkɪt] . . . . der
Fahrschein 50

tidy ['taɪdɪ] . . . . ordentlich 24

to tidy up
[tu 'taɪdɪ ʌp] . . . . aufräumen 75

tiger ['taɪgə] . . . . der Tiger 66

time [taɪm] . . . . die Uhrzeit,
die Zeit 72

to the [tu ðə] . . . . zum, zur 44

today [tə'deɪ] . . . . heute 12

together [tə'geðə] . . . . . zusammen 29

tomato [tə'mɑːtəʊ] . . . . die Tomate 43

too [tuː] . . . . auch 32

tooth [tuːθ] . . . . der Zahn 14

town [taʊn] . . . . die Stadt 54

town hall [taʊn hɔːl] . . . das Rathaus 57

toys [tɔɪz] . . . . die
Spielsachen 26

track [træk] . . . . das Gleis 51

tractor ['træktə] . . . . . . der Traktor 58

traffic lights
['træfɪk laɪts] . . . . die Ampel 54

traffic sign
['træfɪk saɪn] . . . . das Verkehrsschild 55

train [treɪn] . . . . die Eisenbahn,
der Zug 27, 50

train conductor
[treɪn kɒn'dʌktə] . . . . der
Zugbegleiter 50

train station
[treɪn 'steɪʃən] . . . . der Bahnhof 51

trainers ['treɪnəz] . . . . . die Turnschuhe . . 20

to travel [tu 'trævəl] . . . . reisen 50

tree [triː] . . . . der Baum 58

tree trunk [triː trʌŋk] . . . der
Baumstamm 91

to tremble
[tu 'trembl] . . . . zittern 32

trousers ['traʊzəz] . . . . . die Hose 18

T-shirt ['tiː ʃɜːt] . . . . . . das T-Shirt 18

Tuesday ['tjuːzdɪ] . . . . . Dienstag 78

turtle ['tɜːtl] . . . . die Schildkröte . . 30

TV [tiː'viː] . . . . der Fernseher . . . 24

twelve [twelv] . . . . zwölf 72

twelve o'clock
[twelv ə'klɒk] . . . . zwölf Uhr 73

twenty ['twentɪ] . . . . . . zwanzig 95

twins [twɪnz] . . . . die Zwillinge 10

two [tuː] . . . . zwei 12

two o'clock
[tuː ə'klɒk] . . . . zwei Uhr 73

U

umbrella [ʌm'brelə] . . . . der
Regenschirm 21

uncle ['ʌŋkl] . . . . der Onkel 11

under ['ʌndə] . . . . unter 24

120

unknown [ʌn'nəʊn] .... unbekannt 64
until [ʌn'tɪl] .... bis 56
usually ['juːʒʊalɪ] ..... normalerweise .. 56

V

vegetables
['vedʒtəblz] .... das Gemüse 41
verb [vɜːb] .... das Verb 86
vet [vet] .... der Tierarzt,
                 die Tierärztin 30
violet ['vaɪələt] .... violett 92

W

wagon ['wægən] ...... der Waggon 50
to wait [tu weɪt] ...... warten 48
to wake up
[tu weɪk ʌp] .... aufwachen 74
to walk [tu wɔːk] ..... laufen 52
to want to do something
[tu wɒnt
tu duː 'sʌmθɪŋ] .... etwas
                 tun wollen 12
wardrobe ['wɔːdrəʊb] .. der Kleider-
                 schrank 21
warm [wɔːm] .... warm 20
to wash [tu wɒʃ] ..... waschen 88
to wash the dishes
[tu wɒʃ ðə 'dɪʃəz] ...... Geschirr
                 spülen 77
water ['wɔːtə] .... das Wasser 45
we [wiː] .... wir 52
to wear [tu weə] ...... anhaben,
                 tragen 20
Wednesday
['wenzdɪ] .... Mittwoch 78
week [wiːk] .... die Woche 78
weekday ['wiːkdeɪ] .... der Wochentag .. 78
wet [wet] .... nass 91
whale [weɪl] .... der Wal 63
what [wɒt] .... was 17
What a pity!
[wɒt ə 'pɪtɪ] .... Wie schade! 16

What time is it?
[wɒt taɪm ɪz ɪt] .... Wie spät ist es? .. 71
What's your name?
[wɒtz jɔːr neɪm] .... Wie heißt du? ... 12
wheat [wiːt] .... der Weizen 61
when [wen] .... wenn 48
where [weə] .... wo 21
which [wɪtʃ] .... welcher, welche,
                 welches 78
to whine [tu waɪn] .... jammern 16
white [waɪt] .... weiß 92
who [huː] .... wer 13
why [waɪ] .... warum 28
wild [waɪld] .... wild 66
window ['wɪndəʊ] ..... das Fenster 22
winter ['wɪntə] .... der Winter 81
witch [wɪtʃ] .... die Hexe 86
with [wɪθ] .... mit 32
without [wɪ'ðaʊt] ..... ohne 52
wizard ['wɪzəd] ...... der Zauberer 82
woman ['wʊmən] .... die Frau 50
to wonder
[tu 'wʌndə] .... sich fragen 40
work [wɜːk] .... die Arbeit 76
worm [wɜːm] .... der Wurm 59
to write [tu raɪt] ...... schreiben 44

X, Y, Z

year [jɪə] .... das Jahr 12
yellow ['jeləʊ] .... gelb 92
yes [jes] .... ja 29
you [juː] .... du 12
You're welcome!
[jɔː 'welkəm] .... Gern geschehen! . 28
your [jɔː] .... dein, deine,
                 euer, eure 20
zebra ['zebrə] .... das Zebra 67
zebra crossing
['zebrə 'krɒsɪŋ] .... der
                 Zebrastreifen 55
zero ['zɪərəʊ] .... null 94
zoo [zuː] .... der Zoo 68

So liest du die Lautschrift /
Reading the phonetic alphabet

ɑː	in **arm** [ɑːm]	wird gesprochen wie in „lahm".
ʌ	in **to run** [tu rʌn]	wird gesprochen wie in „Hand".
e	in **egg** [eg]	wird gesprochen wie in „weg".
iː	in **feet** [fiːt]	wird gesprochen wie in „Biene".
ɪ	in **twins** [twɪnz]	wird gesprochen wie in „mit".
ɒ	in **not** [nɒt]	wird gesprochen wie in „Frosch".
ʊ	in **to look** [tu lʊk]	wird gesprochen wie in „und".
uː	in **moon** [muːn]	wird gesprochen wie in „suchen".
aɪ	in **my** [maɪ]	wird gesprochen wie in „Mai".
aʊ	in **how** [haʊ]	wird gesprochen wie in „rau".
ɔɪ	in **toys** [tɔɪz]	wird gesprochen wie in „Heu".
ɪə	in **here** [hɪə]	wird gesprochen wie in „Tier".
eə	in **parents** ['peərəntz]	wird gesprochen wie in „Märchen".
ŋ	in **song** [sɒŋ]	wird gesprochen wie in „Bonbon".
s	in **soft** [sɒft]	wird gesprochen wie „essen".
z	in **to lose** [tu luːz]	wird gesprochen wie „Saft".
ʃ	in **lunch** [lʌnʃ]	wird gesprochen wie in „Schule".
tʃ	in **child** [tʃaɪld]	wird gesprochen wie in „tschüss".
dʒ	in **jeans** [dʒiːnz]	wird gesprochen wie in „Dschungel".
v	in **vet** [vet]	wird gesprochen wie in „Vokal".
æ	in **and** [ænd]	wird ähnlich gesprochen wie in „Bär".
ə	in **the** [ðə]	wird ähnlich gesprochen wie in „Bruder".
ɔː	in **bored** [bɔːrd]	wird ähnlich gesprochen wie in „Horn".
ɜː	in **verb** [vɜːb]	wird ähnlich gesprochen wie in „hört".

Diese Laute gibt es nur im Englischen:

das eɪ	in **eight** [eɪt]
das əʊ	in **goldfish** ['gəʊldfɪʃ]
das r	in **rain** [reɪn]
das ʒ	in **leisure** ['leʒə]
das θ	in **thing** [θɪŋ]
das ð	in **mother** ['mʌðə]
das w	in **we** [wiː]

Quellenverzeichnis / Sources

S. 10 – 13, 34 – 36, 50, 72 – 73, 78, 83:
Ill. v. Petra Theissen
© 2004 Loewe Verlag GmbH, Bindlach

Die übrigen Illustrationen wurden aus
folgenden Bänden entnommen:

Werner Färber: *Bildermaus-Geschichten
vom Fußballplatz*,
Ill. v. Rooobert Bayer
© 2001 Loewe Verlag GmbH, Bindlach

Werner Färber: *Bildermaus-Geschichten
vom Förster Fridolin*,
Ill. v. Sonja Firmenich
© 1995 Loewe Verlag GmbH, Bindlach

Werner Färber: *Bildermaus-Geschichten
aus der Schule*,
Ill. v. Claudia Fries
© 2003 Loewe Verlag GmbH, Bindlach

Katja Reider: *Bildermaus – Kleine
Geschichten aus dem Kindergarten*,
Ill. v. Julia Ginsbach
© 2000 Loewe Verlag GmbH, Bindlach

Werner Färber: *Bildermaus-Geschichten
vom frechen Räubermädchen*,
Ill. v. Julia Ginsbach
© 2002 Loewe Verlag GmbH, Bindlach

Werner Färber: *Bildermaus-Geschichten
vom kleinen Zauberer*,
Ill. v. Julia Ginsbach
© 2003 Loewe Verlag GmbH, Bindlach

Werner Färber: *Bildermaus-Geschichten
von der kleinen Katze*,
Ill. v. Gertie Jacquet
© 1996 Loewe Verlag GmbH, Bindlach

Werner Färber: *Bildermaus-Geschichten
vom lustigen Abc*,
Ill. v. Sabine Kraushaar
© 1999 Loewe Verlag GmbH, Bindlach

Udo Richard: *Bildermaus-Geschichten
vom kleinen Delfin*,
Ill. v. Sabine Kraushaar
© 2003 Loewe Verlag GmbH, Bindlach

Katja Reider: *Bildermaus-Geschichten
vom kleinen Elefanten*,
Ill. v. Sabine Kraushaar
© 2002 Loewe Verlag GmbH, Bindlach

Werner Färber: *Bildermaus-Geschichten
vom Pony Panino*,
Ill. v. Sabine Kraushaar
© 1997 Loewe Verlag GmbH, Bindlach

Werner Färber: *Bildermaus-Geschichten
vom kleinen Polizisten*,
Ill. v. Don-Oliver Matthies
© 1996 Loewe Verlag GmbH, Bindlach

Werner Färber: *Bildermaus-Geschichten
vom klugen Hund*,
Ill. v. Dorothea Tust
© 2000 Loewe Verlag GmbH, Bindlach

Susanne Blesius: *Bildermaus-Geschichten
vom kleinen Tiger*,
Ill. v. Heike Wiechmann
© 2003 Loewe Verlag GmbH, Bindlach

Katja Reider: *Bildermaus-Geschichten
vom kleinen Löwen*,
Ill. v. Katharina Wieker
© 2000 Loewe Verlag GmbH, Bindlach

Werner Färber: *Bildermaus-Geschichten
vom kleinen Lokführer*,
Ill. v. Katharina Wieker
© 2003 Loewe Verlag GmbH, Bindlach

Werner Färber: *Bildermaus-Geschichten
von der Tierärztin Tina*,
Ill. v. Katharina Wieker
© 1997 Loewe Verlag GmbH, Bindlach

Werner Färber: *Bildermaus-Geschichten
vom kleinen Weihnachtsmann*,
Ill. v. Katharina Wieker
© 1995 Loewe Verlag GmbH, Bindlach

Werner Färber: *Bildermaus-Geschichten
von der kleinen Hexe*,
Ill. v. Maria Wissmann
© 1995 Loewe Verlag GmbH, Bindlach

Wort für Wort
Englisch lernen

Mit diesem Bildwörterbuch erlernen Kinder spielerisch den Grundwortschatz der englischen Sprache. Ansprechende farbige Illustrationen und eine eindeutige Zuordnung von Text und Bild wecken die kindliche Neugier und machen Lust auf den ersten Kontakt mit einer neuen Sprache.

- Bekannte Themenbereiche aus dem Kinderalltag
- Rund 800 Begriffe in Wort und Bild
- Orientierung und Aussprachehilfe durch ein Wörterverzeichnis mit Lautschrift

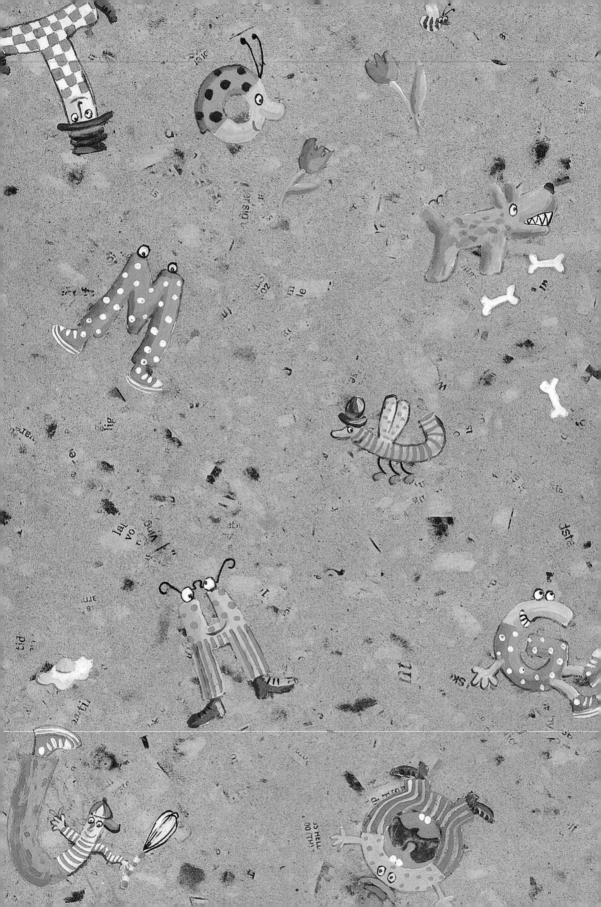